TOUT L'UNIVERS DANS UN ATOME

SA SAINTETÉ LE DALAÏ-LAMA

TOUT L'UNIVERS DANS UN ATOME

Science et bouddhisme, une invitation au dialogue

traduit de l'américain par Hayet Dhifallah

ROBERT LAFFONT

Titre original : THE UNIVERSE IN A SINGLE ATOM
© Sa Sainteté le dalaï-lama, 2005
Traduction française : Éditions Robert Laffont, S.A., Paris, 2006

ISBN 2-221-10651-2
(édition originale : ISBN 0-7679-2066-X Morgan Road Books, New York)

« Dans chaque atome des domaines de l'univers
Existent de vastes océans de systèmes de mondes. »

Sutra de l'ornementation fleurie
Texte bouddhique ancien

Prologue

Je n'ai jamais reçu de formation scientifique. Mes connaissances proviennent essentiellement de la lecture de reportages traitant d'événements scientifiques importants dans des magazines comme *Newsweek* ou de programmes radiophoniques entendus au BBC World Service et plus tard de la lecture d'ouvrages d'astronomie. Au cours des trente dernières années, j'ai tenu des réunions et eu plusieurs discussions avec des scientifiques. Lors de ces rencontres, j'ai toujours essayé d'appréhender les modèles et les méthodes de la pensée scientifique ainsi que les implications de théories ou de certaines découvertes récentes. J'ai cependant réfléchi en profondeur à la question de la science – pas simplement sur ce qu'elle implique pour la compréhension de la réalité, mais, point encore plus important, sur son influence sur l'éthique et les valeurs. Durant des années, j'ai tout particulièrement exploré les domaines de la physique subatomique, de la cosmologie et de la biologie, ainsi que des neurosciences et de la psychologie. Du fait de ma formation intellectuelle personnelle dans le domaine de la pensée bouddhique, j'ai souvent consacré ma réflexion à la question de l'interface entre les concepts essentiels du bouddhisme et les grandes idées scientifiques. Ce livre est le résultat de cette longue période de réflexion et de ce long périple intellectuel d'un moine bouddhiste du Tibet dans le monde des chambres à bulles, des accélérateurs et de l'IRMF (imagerie par résonance magnétique fonctionnelle).

De nombreuses années après mon départ vers l'exil en Inde, j'ai découvert une lettre datant des années 1940 adressée aux penseurs bouddhistes du Tibet. Cette lettre avait été écrite par le lettré tibétain Gendün Chöphel qui, non seulement maîtrisait le sanscrit, mais, fait unique parmi les penseurs tibétains de son époque, possédait bien l'anglais. Dans les années 1930, il avait voyagé en Inde britannique, en Afghanistan, au Népal et au Sri Lanka. Ce fut pour moi une révélation que cette lettre rédigée vers la fin de son voyage, qui dura douze ans. Elle précise dans quels domaines, et ils sont nombreux, pourrait s'élaborer un dialogue fructueux entre le bouddhisme et la science. J'ai découvert que, souvent, les observations de Gendün Chöphel coïncidaient remarquablement avec les miennes. Il est bien dommage que cette lettre n'ait pas attiré l'attention qu'elle méritait, ce qui est en partie dû au fait qu'elle ne fut pas publiée au Tibet avant mon exil, en 1959. Mais je trouve réconfortant que mon périple dans le monde de la science ait un précédent dans ma propre tradition tibétaine. D'autant plus que Gendün Chöphel était originaire de ma province natale, l'Amdo. La découverte de cette lettre tant d'années après qu'elle eut été écrite fut un moment très fort pour moi.

Je me souviens des propos troublants que tenait

une Américaine mariée à un Tibétain. Ayant entendu parler de mon intérêt pour la science et de mon engagement actif dans un dialogue avec des scientifiques, elle m'avertit du danger que la science représentait pour la survie du bouddhisme. Selon elle, l'histoire montrait que la science était l'« assassin » de la religion et qu'il n'était pas conseillé que le dalaï-lama entretienne des amitiés avec les représentants de ce domaine. En entreprenant ce périple personnel à travers la science, je suppose que j'ai pris des risques. La confiance que je ressens tout en m'y aventurant est fondée sur une conviction fondamentale, à savoir que la science, tout comme le bouddhisme, cherche à comprendre la nature de la réalité au moyen d'une investigation critique : si l'analyse scientifique devait démontrer que certaines affirmations du bouddhisme sont fausses, il nous faudrait alors accepter les conclusions de la première et abandonner les affirmations du second.

Parce que je suis sincèrement internationaliste, l'une des qualités qui m'ont le plus touché chez les scientifiques est leur étonnante bonne volonté à échanger leur savoir sans tenir compte des frontières. Même pendant la guerre froide, alors que le monde politique était dangereusement polarisé, j'ai rencontré des scientifiques occidentaux et du bloc soviétique prêts à communiquer, comme jamais les hommes politiques n'auraient pu l'imaginer. J'ai senti dans cet état d'esprit une reconnaissance implicite de l'unicité de l'humanité et une absence de sens de la propriété tout à fait libératrice en matière de savoir.

Mon intérêt pour la science dépasse le simple aspect personnel. Même avant de partir en exil, il était clair pour moi et quelques autres que l'une des sources de la tragédie politique du Tibet était son incapacité à se moderniser. Dès que nous sommes arrivés en Inde, nous avons ouvert des écoles tibétaines pour les enfants de réfugiés avec un programme d'enseignement moderne intégrant pour la première fois son aspect scientifique. Entre-temps, je m'étais rendu compte que l'essence de la modernisation résidait dans l'indispensable maîtrise des questions de science et de technologie. Mon engagement personnel m'a conduit à encourager même les écoles monastiques, dont la priorité est l'enseignement de la pensée bouddhique classique, à les introduire dans leur programme.

Comme j'ai de mieux en mieux compris ce qu'était la science, il m'est apparu progressivement évident que nos explications et nos théories sur le monde physique dans la pensée bouddhique traditionnelle sont restées rudimentaires en comparaison de celles de la science moderne. Mais, parallèlement, même dans les pays les plus fortement développés sur le plan scientifique, les êtres humains ont continué, c'est évident, à faire l'expérience de la souffrance, en particulier au niveau émotionnel et psychique. Si la science peut fortement contribuer à réduire la souffrance au niveau physique, nous ne pouvons toutefois commencer à affronter et à surmonter notre souffrance mentale qu'en cultivant les qualités du cœur et en transformant nos attitudes. En d'autres termes, l'amélioration des valeurs humaines fondamentales est indispensable à notre quête essentielle du bonheur. Dans la perspective du bien-être de l'humanité, on ne peut donc pas dire que la science et la spiritualité soient sans rapports. Nous avons besoin des deux pour soulager la souffrance aussi bien sur le plan physique que psychique.

Ce livre n'est pas une tentative d'unification de la science et de la spiritualité (l'exemple que je prendrai étant le bouddhisme, que je connais le mieux), mais il s'efforce d'explorer deux disciplines humaines majeures. Et ce, dans le but d'élaborer une démarche plus holistique et plus intégrée de compréhension du monde ; d'explorer en profondeur le visible et l'invisible, en s'appuyant sur la découverte de preuves étayées par la raison. Il ne s'agit pas pour moi d'essayer de traiter sous une forme savante des points potentiels de convergence et de divergence entre le bouddhisme et la science. Je laisse cela aux universitaires. Je pense plutôt que la spiritualité et la science sont des démarches d'investigation différentes mais complémentaires. Elles ont un même objectif, majeur : la recherche de la vérité. En cela, chacune de ces deux disciplines a beaucoup à apprendre de l'autre, et, ensemble, elles contribueront à élargir l'horizon des connaissances et de la sagesse humaines. Par leur dialogue, la science et la spiritualité répondront toutes deux plus utilement aux besoins de l'humanité et amélioreront son bien-être, c'est du moins ce que j'espère. Quant à l'évocation de mon propre parcours, j'espère qu'elle permettra d'attirer l'attention de mes millions de frères bouddhistes à travers le monde sur la nécessité de prendre la science au sérieux et d'intégrer ses découvertes fondamentales dans leur vision du monde.

Ce dialogue entre science et spiritualité a une longue histoire – en particulier dans le christianisme.

Dans ma propre tradition, celle du bouddhisme tibétain, la véritable rencontre avec la vision scientifique du monde est encore toute nouvelle, et ce, pour diverses raisons d'ordre historique, social et politique. Les implications de ce qu'offre la science ne sont pas encore totalement claires. Indépendamment des divers points de vue personnels sur la science, aucune interprétation crédible du monde naturel ou de notre existence humaine – ce que j'appellerai par la suite dans ce livre une vision du monde – ne peut ignorer les idées de base de théories aussi essentielles que l'évolution, la relativité et la mécanique quantique. Quant à la science elle-même, elle pourrait bien être enrichie par sa rencontre avec la spiritualité, en particulier à l'interface de questions humaines plus vastes, allant de l'éthique à la société. Pour ce qui est de la pensée bouddhique, certains de ses aspects – comme ses anciennes théories cosmologiques et sa physique rudimentaire – devront sûrement être modifiés à la lumière des nouvelles connaissances scientifiques. J'espère que ce livre apportera sa contribution au dialogue entre science et spiritualité, projet que je considère important.

Mon but est d'explorer des questions ayant un sens extrêmement profond pour notre monde contemporain, aussi ai-je souhaité communiquer avec le public le plus large possible. Ce n'est pas facile, étant donné les raisonnements et les argumentations parfois complexes de la science et de la philosophie bouddhique. Dans mon désir de rendre cette discussion accessible, j'ai sans doute, par moments, un peu trop simplifié les questions. Je suis reconnaissant à mes deux assistants éditoriaux, Thupten Jinpa, mon traducteur de longue date, et son collègue, Jai Elsner, de m'avoir aidé à exprimer mes idées le plus clairement possible en anglais (*langue du texte original, N.d.T.*). Je voudrais également remercier de nombreuses personnes pour leurs commentaires à diverses étapes du manuscrit. Je suis extrêmement reconnaissant à tous les scientifiques d'avoir été si généreux de leur temps lors de nos rencontres. Ils se sont montrés d'une extraordinaire patience quand ils ont dû expliquer certaines idées complexes à un étudiant parfois lent. Je les considère tous comme mes professeurs.

1

Réflexion

J'ai passé de nombreuses années à réfléchir aux remarquables progrès de la science. Dans le court espace de temps écoulé depuis ma naissance, l'impact de la science et de la technologie sur l'humanité a été immense. Mon intérêt personnel à l'égard de la science a débuté par une curiosité pour le monde, alors inconnu de moi, gouverné par la technologie. Mais je n'ai pas mis longtemps à entrevoir sa signification colossale pour l'humanité dans son ensemble – en particulier, après avoir pris le chemin de l'exil en 1959. Aujourd'hui, il n'existe pratiquement pas de domaine de la vie humaine qui ne soit touché par les effets de la science et de la technologie. Cependant, avons-nous une idée claire de la place de cette discipline dans la totalité de la vie humaine – du rôle qu'elle devrait jouer et de ce qui devrait la contrôler ? Le dernier point est essentiel. À moins que son orientation ne soit guidée par une motivation éthique consciente, particulièrement sous forme de compassion, ses effets pourraient ne pas être bénéfiques. Ils pourraient même provoquer de grands dommages.

Devant l'importance considérable de ce domaine et son inévitable prédominance dans le monde moderne, j'ai fondamentalement changé d'attitude. Je suis passé du stade de la curiosité à celui d'une implication teintée d'un sentiment d'urgence. Dans le bouddhisme, l'idéal spirituel le plus élevé est de cultiver la compassion envers tous les êtres sensibles et d'œuvrer le plus possible à leur bien-être. Dès ma plus tendre enfance, j'ai été conditionné à chérir cet idéal et à tenter de le réaliser dans chacune de mes actions. J'ai donc voulu comprendre la science parce qu'elle m'offrait, dans ma quête personnelle, un nouveau domaine à explorer pour appréhender la nature de la réalité. Je voulais également en savoir plus sur elle, car j'y retrouvais une manière attirante de communiquer des idées puisées dans ma propre tradition spirituelle. Le besoin de m'engager vis-à-vis de cette force puissante dans notre monde est alors devenu une sorte d'injonction spirituelle. La question centrale – centrale pour la survie et le bien-être de notre monde – est la suivante : comment faire en sorte que la science, grâce à ses merveilleuses évolutions, réponde aux besoins de l'humanité et des autres êtres sensibles avec qui nous partageons cette terre de manière altruiste et empreinte de compassion ?

L'éthique y a-t-elle sa place ? Je pense que oui. D'abord, comme tout instrument, la science peut être utilisée à de bonnes ou à de mauvaises fins. C'est l'état d'esprit de la personne maniant l'instrument qui détermine à quelle fin celui-ci sera utilisé. Deuxièmement, les découvertes scientifiques influencent notre manière d'appréhender le monde et la place que nous y occupons. Cela a des conséquences sur notre comportement. Ainsi, la vision mécaniste du monde a conduit à la révolution industrielle, et l'exploitation de la nature est devenue monnaie courante. Une hypothèse générale voudrait cependant que l'éthique ne concerne que l'application de la science, et non la recherche scientifique elle-même. Dans ce modèle, la communauté scientifique en général et le scientifique en particulier occupent une position normalement neutre. Ils ne sont pas responsables des fruits de leurs découvertes. Reste qu'avec la multiplication des découvertes scientifiques et des innovations technologiques, de nouvelles possibilités apparaissent, qui impliquent de nouveaux défis éthiques et spirituels. Nous ne pouvons pas décharger l'entreprise scientifique et les scientifiques pris individuellement de toute responsabilité vis-à-vis de leur contribution à l'émergence d'une nouvelle réalité.

Le point sans doute le plus important est celui-ci : veiller à ce que la science ne se retrouve jamais séparée du sentiment humain fondamental qu'est l'empathie. Tout comme les doigts ne fonctionnent qu'en relation avec la paume de la main, les scientifiques doivent demeurer conscients de leur lien avec la société dans son ensemble. La science est d'une importance vitale, mais elle n'est qu'un des doigts de la main de l'humanité. Son potentiel le plus grand ne se concrétisera que si nous prenons soin de nous en souvenir. Sinon, nous courons le risque de perdre notre sens des priorités. L'humanité finirait par servir les intérêts du progrès scientifique et non l'inverse. La science et la technologie sont des outils puissants. Nous devons décider de la meilleure manière de les utiliser. Le plus important est la motivation qui préside à leur utilisation et dans laquelle, idéalement, le cœur et l'esprit sont unis.

Pour moi, la science est en tout premier lieu une discipline empirique qui offre à l'humanité un puissant moyen de comprendre la nature du monde physique et du monde du vivant. C'est essentiellement un mode d'investigation qui nous apporte une connaissance merveilleusement détaillée du monde empirique. Elle nous donne les lois qui gouvernent la nature, après les avoir déduites des données empiriques. La science procède à l'aide d'une méthode très spécifique qui implique des mesures, une quantification et une vérification intersubjective au moyen d'expériences répétables. Il s'agit, du moins, de la nature de la méthode scientifique dans le paradigme actuel. Dans le cadre de ce modèle, de nombreux aspects de l'existence humaine, parmi lesquels les valeurs, la créativité et la spiritualité ainsi que des questions métaphysiques plus profondes, demeurent en dehors du champ scientifique.

J'ai cependant remarqué que, pour de nombreuses personnes, la vision scientifique du monde devrait constituer la base de tout savoir et de tout ce qui est connaissable. C'est du matérialisme scientifique. Même si, à ma connaissance, aucune école de pensée n'expose cela de façon explicite, il s'agit, semble-t-il, d'une présupposition courante non vérifiée. Cette façon de voir étaie la croyance en un monde objectif, non contingent de ses observateurs. Elle suppose que les données analysées dans le cadre d'une expérience sont indépendantes des préconceptions, des perceptions et de l'expérience du scientifique qui les analyse.

Selon l'hypothèse qui sous-tend cette vision, tout se résume, en dernière analyse, à la matière telle que la physique et ses lois la décrivent et la régissent. Cette vision apporterait donc la confirmation que la psychologie se réduit à la biologie, la biologie à la chimie et la chimie à la physique. Ma préoccupation n'est pas tant de contester cette position réductionniste (bien que je ne la partage pas) que d'attirer l'attention sur un point extrêmement important : ces idées ne constituent pas un savoir scientifique mais plutôt une position philosophique, en fait, métaphysique. C'est, selon moi, une position métaphysique que d'estimer que tous les aspects de la réalité se réduisent à la matière et à ses diverses particules. Tout comme l'est le fait de dire qu'une intelligence organisatrice a créé et contrôle cette réalité.

Le matérialisme scientifique radical pose un problème majeur, celui d'engendrer une vision étroite ainsi qu'un possible nihilisme. Dans une perspective philosophique et tout particulièrement humaniste, le nihilisme, le matérialisme et le réductionnisme présentent le risque d'appauvrir la façon dont nous nous voyons, nous, humains. Ainsi, nous pouvons nous envisager comme des créatures biologiques nées du hasard ou comme des êtres particuliers dotés de conscience et de capacité morale. La vision choisie aura un impact sur l'idée que nous nous faisons de nous-mêmes et sur notre comportement vis-à-vis d'autrui. De nombreuses dimensions de l'humain – art, éthique, spiritualité, bonté, beauté et par-dessus tout conscience – se retrouvent alors réduites ou à des réactions chimiques neuronales ou à des constructions purement imaginaires. Il y a un danger que les êtres humains soient réduits à n'être rien de plus que des machines biologiques, les produits du pur hasard dans une combinaison aléatoire de gènes, sans autre but que l'impératif biologique de reproduction.

On comprend mal comment une telle vision du monde pourrait répondre de façon satisfaisante à la question du sens de la vie ou à celle du bien et du mal, par exemple. Ce ne sont pas les données empiriques de la science qui posent problème. C'est l'assertion selon laquelle seules ces données sont légitimes pour élaborer une vision complète du monde ou répondre à ses problèmes. L'existence humaine et la réalité renferment toutes deux bien plus que ce à quoi la science actuelle nous donne accès.

De la même manière, les idées et les découvertes scientifiques tempèrent les possibles excès de la spiritualité. Les ignorer appauvrit notre pratique spirituelle, ce qui risque de nous faire pencher vers le fondamentalisme. C'est une des raisons pour lesquelles j'encourage mes collègues bouddhistes à entreprendre l'étude de la science, de façon que les idées scientifiques soient intégrées à la vision bouddhique du monde.

2

Rencontre avec la science

Je suis né dans une famille de simples paysans qui élevaient du bétail pour labourer leurs champs et fouler les épis d'orge, après la récolte, afin d'en détacher les grains. Les seuls objets que l'on aurait sans doute pu qualifier de technologiques dans le monde de ma tendre enfance étaient les fusils des guerriers nomades locaux, probablement en provenance d'Inde britannique, de Russie ou de Chine. À l'âge de six ans, j'ai été intronisé en tant que quatorzième dalaï-lama dans la capitale tibétaine, Lhassa. J'ai alors commencé à recevoir une éducation sur tous les aspects du bouddhisme. J'avais des précepteurs personnels qui m'enseignaient tous les jours la lecture, l'écriture, les bases de la philosophie bouddhique et la mémorisation des écritures et des rituels. On m'attribua plusieurs *tsenshap*, littéralement des « assistants philosophiques ». Leur tâche principale consistait à m'entraîner au débat dialectique sur des sujets inhérents à la pensée bouddhique. Je participais à de longues heures de prière et de contemplation méditative. Je passais des périodes de retraite avec mes tuteurs et restais régulièrement assis pendant deux heures lors des séances de méditation, quatre fois par jour. Ce fut une formation assez typique pour un grand lama dans la tradition tibétaine. Mais je n'ai reçu aucun enseignement en mathématique, géologie, chimie, biologie ou physique. J'ignorais même que ces matières existaient.

Le palais du Potala était ma résidence d'hiver officielle. C'est un immense édifice, occupant un pan entier de montagne, et censé contenir un millier de pièces. Je ne les ai jamais comptées. Dans mes moments de récréation, petit garçon, je m'amusais à explorer certaines de ses chambres. C'était comme être perpétuellement à la chasse au trésor. Y étaient conservés toutes sortes d'objets, essentiellement les effets personnels de précédents dalaï-lamas, et en particulier de mon prédécesseur immédiat. Au nombre des possessions les plus frappantes du palais figuraient les stupas-reliquaires contenant les reliques des précédents dalaï-lamas. Elles remontaient au XVIIe siècle, où vécut le cinquième dalaï-lama, qui fit élargir le Potala à sa taille actuelle. Au milieu des divers objets insolites que je trouvais çà et là figuraient certains objets mécaniques appartenant au treizième dalaï-lama. Les plus remarquables étaient un télescope pliant en cuivre qui se fixait sur un trépied et une horloge mécanique à remontage manuel comportant un globe tournant sur un socle et indiquant l'heure des différents fuseaux horaires. Il y avait également un grand stock de livres illustrés en anglais racontant l'histoire de la Première Guerre mondiale.

Certains avaient été offerts au treizième dalaï-lama par son ami sir Charles Bell. Bell était l'officier britannique en poste au Sikkim et il parlait le tibétain. Il avait été l'invité du treizième dalaï-lama quand ce dernier avait fait un bref séjour en Inde britannique, après avoir fui devant la menace d'invasion par les armées du dernier gouvernement impérial chinois, en 1910. Il est curieux que l'exil en Inde et la découverte de la culture scientifique soient un héritage de mon plus proche prédécesseur. Pour le treizième dalaï-lama, comme je l'ai découvert plus tard, ce séjour en Inde britannique fut une expérience révélatrice. C'est alors qu'il prit conscience de la nécessité d'importantes réformes sociales et politiques au Tibet. À son retour à Lhassa, il fit installer une ligne télégraphique, créa un système postal, fit construire une petite centrale électrique pour fournir au Tibet les premiers éclairages électriques et créa une monnaie nationale en fondant un hôtel de la Monnaie pour l'émission de billets de banque. Il se mit également à apprécier l'importance d'une éducation moderne, séculaire, et envoya en Angleterre un groupe d'enfants tibétains sélectionnés pour étudier à la Rugby School. Le treizième dalaï-lama a laissé un remarquable testament sur son lit de mort qui prédit en grande partie la tragédie politique à venir. Mais le gouvernement qui lui a succédé ne l'a pas pleinement compris, pas plus qu'il n'en a tenu compte.

Parmi les autres objets acquis par le treizième dalaï-lama et intéressants du point de vue mécanique figuraient une montre de gousset, deux projecteurs de films et trois automobiles – deux Baby Austin de 1927 et une Dodge américaine de 1931. Comme il n'existait aucune voie carrossable au Tibet même, ces automobiles avaient dû être démontées en Inde et transportées à travers les montagnes par porteurs, mules et ânes avant d'être réassemblées pour le treizième dalaï-lama. Pendant longtemps, elles furent les trois seules automobiles de tout le Tibet – et elles étaient à peu près inutiles puisqu'il n'y avait pas de routes hors de Lhassa où les conduire. Ces divers objets, signes indicateurs d'une culture technologique, exerçaient une grande fascination sur le garçon naturellement curieux et assez turbulent que j'étais. À une époque, je m'en souviens très clairement, je préférais jouer avec ces objets plutôt qu'étudier la philosophie ou mémoriser un texte. Aujourd'hui, je vois que ces choses n'étaient en soi rien de plus que des jouets, mais elles évoquaient tout un univers d'expériences et de savoir auquel je n'avais pas accès et dont l'existence ne laissait pas de me fasciner. D'une certaine manière, ce livre parle du chemin qui mène à la découverte de ce monde et des choses merveilleuses qu'il a à offrir.

Je ne trouvais pas le télescope compliqué. Je comprenais clairement à quoi il servait ; et je n'ai pas tardé à l'utiliser pour observer la vie animée de la ville de Lhassa, en particulier les marchés. J'enviais l'insouciance avec laquelle les enfants de mon âge couraient dans les rues tandis que, moi, je devais étudier. Plus tard, j'ai utilisé le télescope pour scruter le ciel nocturne au-dessus du Potala – qui offre, à l'altitude élevée du Tibet, l'une des visions les plus spectaculaires des étoiles. Je demandais à mes assistants le nom des étoiles et des constellations.

Je savais à quoi servait une montre gousset mais j'étais bien plus intrigué par son fonctionnement. J'ai essayé pendant quelque temps de le comprendre jus-

26

qu'au moment où ma curiosité a été la plus forte et j'ai ouvert le boîtier pour regarder à l'intérieur. Je n'ai pas tardé à démonter entièrement l'objet, et le défi consista à le remonter pour qu'il fonctionne effectivement. C'est ainsi qu'a débuté ce qui allait devenir le passe-temps de toute une vie : démonter et réassembler des objets mécaniques. Je maîtrisais suffisamment ce processus pour devenir le réparateur attitré d'un certain nombre de personnes de ma connaissance qui possédaient à Lhassa des montres ou des horloges. Plus tard, en Inde, je n'eus pas beaucoup de chance avec mon horloge, dont le pauvre coucou fut attaqué par mon chat. Elle ne s'en est jamais remise. Lorsque la montre à batterie automatique s'est généralisée, mon passe-temps est devenu moins intéressant – si l'on ouvre une montre de ce type, on n'y trouve pratiquement aucun mécanisme.

Il était bien plus compliqué de comprendre le fonctionnement des deux projecteurs à manivelle appartenant au treizième dalaï-lama. L'un de mes serviteurs, un moine originaire d'une minorité ethnique chinoise, réussit à faire marcher l'un des deux. Je lui demandai de l'installer pour que je visionne les rares films dont nous disposions. Plus tard, nous nous sommes procuré un projecteur 16 mm électrique ; mais il tombait régulièrement en panne, en partie parce que son générateur était défectueux. À la même époque, en 1945, je crois, sont arrivés à Lhassa Heinrich Harrer et Peter Aufschnaiter, deux Autrichiens qui avaient traversé l'Himalaya après s'être échappés d'un camp britannique de prisonniers de guerre dans le nord de l'Inde. Harrer devint mon ami et je faisais à l'occasion appel à lui pour m'aider à réparer le projecteur. Nous ne pouvions pas nous procurer beaucoup de films, mais de nombreuses bandes d'actualités sur les grands événements de la Seconde Guerre mondiale firent le chemin de l'Inde jusqu'au Tibet, présentant la version des Alliés sur cette histoire. Il y avait également des films sur le jour de la victoire alliée en Europe, le couronnement du roi George VI d'Angleterre et le film de Laurence Olivier tiré de la pièce de Shakespeare, *Henri V*, ainsi que certains films muets de Charlie Chaplin.

Ma fascination pour la science a débuté avec la technologie, et, en fait, je ne voyais pas de différence entre les deux. Quand j'ai rencontré Harrer, qui était plus fort en mécanique que quiconque, à ma connaissance, à Lhassa, j'ai supposé que son expertise en science était aussi profonde que sa maîtrise des quelques objets mécaniques que nous détenions au Potala. Ce qui est amusant, c'est que j'ai découvert des années plus tard qu'il n'avait aucune formation scientifique. À l'époque, je pensais que tous les hommes blancs avaient une connaissance approfondie de la science.

Inspiré par mes succès obtenus dans le démontage des montres et la réparation du projecteur, je suis devenu plus ambitieux. Mon projet suivant fut de comprendre la mécanique de l'automobile. La personne chargée de la conduite des automobiles et de leur entretien s'appelait Lhakpa Tsering, un chauve au mauvais caractère légendaire. S'il se cognait malencontreusement la tête lorsqu'il travaillait sous l'automobile, il se mettait tellement en colère qu'il lui cognait dessus en retour. Je devins son ami, si bien qu'il me permit d'examiner le moteur pendant qu'il le réparait et qu'il finit par m'apprendre à conduire.

Un jour, j'ai emprunté en cachette l'une des Austin pour la conduire seul, mais j'ai eu un léger accident et j'ai cassé le phare gauche. J'étais terrifié à l'idée de ce que dirait Babu Tashi, un autre responsable des automobiles. J'ai réussi à trouver un phare de rechange, mais le verre en était transparent alors que celui de l'original était dépoli. Après réflexion, j'ai trouvé une solution. J'ai imité l'aspect dépoli du phare en le recouvrant de sucre fondu. Je n'ai jamais su si Babu Tashi s'en était aperçu. Si c'est le cas, il ne m'a du moins jamais puni.

Dans un domaine essentiel de la science moderne, la géographie du monde, Harrer m'a beaucoup aidé. J'avais dans ma bibliothèque personnelle une collection de volumes en anglais sur la Seconde Guerre mondiale qui racontaient en détail la participation à la guerre de nombreuses grandes nations, dont le Japon. Mes aventures avec le projecteur de films, la réparation d'horloges et mes tentatives de conduite automobile m'avaient donné une idée de ce qu'était le monde de la science et de la technologie. Plus sérieusement, après avoir reçu l'investiture comme chef du Tibet à l'âge de seize ans, j'entrepris des visites officielles en Chine en 1954 et en Inde en 1956 qui m'ont fait forte impression. L'armée chinoise avait déjà envahi mon pays et j'étais engagé dans une longue et délicate négociation à la recherche d'un compromis avec le gouvernement chinois.

Mon premier voyage à l'étranger, à la fin de mon adolescence, m'a conduit à Beijing, où j'ai rencontré le président Mao, Chou En-lai et d'autres dirigeants du régime. Ce déplacement officiel comprenait une série de visites dans des fermes coopératives et de grandes installations telles que des barrages hydro-électriques. Non seulement c'était la première fois que je me trouvais dans une ville moderne avec des routes asphaltées et des voitures, mais ce fut également l'occasion de rencontrer pour la première fois de vrais scientifiques.

En 1956, je me suis rendu en Inde pour prendre part à la commémoration du deux mille cinq centième anniversaire de la mort du Bouddha, la principale manifestation ayant lieu à Delhi. Plus tard, le Premier ministre indien Jawaharlal Nehru est devenu une sorte de conseiller et ami, ainsi que mon hôte dans mon exil. Nehru avait un esprit scientifique ; il voyait l'avenir de l'Inde en termes de développement technologique et industriel et possédait une vision profonde du progrès. Après les célébrations officielles, je partis à la découverte de nombreuses régions de l'Inde – non seulement les lieux de pèlerinage comme Bodgaya, où le Bouddha atteint l'éveil complet, mais aussi de grandes villes, des complexes industriels et des universités.

C'est alors que j'ai rencontré pour la première fois des enseignants spirituels à la recherche de l'intégration de la science et de la spiritualité, tels les membres de la Société théosophique à Madras. La théosophie fut un mouvement spirituel important au XIXe siècle et au début du XXe siècle. Il cherchait à élaborer une synthèse de la connaissance humaine orientale et occidentale, religieuse et scientifique. Ses fondateurs occidentaux, parmi lesquels Mme Blavatsky et Annie Besant, avaient passé beaucoup de temps en Inde.

Même avant ces voyages officiels, j'en étais arrivé à reconnaître que la technologie est en fait le fruit, ou l'expression, d'une manière particulière de comprendre le monde. La science forme la base de ces expressions. Elle constitue toutefois la forme spécifique d'investigation et la source du corps de connaissances qui permettent cette compréhension du monde. Aussi, même si, au départ, ma fascination se portait vers les artefacts technologiques, est-ce cet aspect – la forme scientifique d'investigation plutôt que n'importe quelle industrie ou jouet mécanique – qui a fini par m'interpeller très profondément.

Mes entretiens avec certaines personnes, en particulier des scientifiques de profession, m'ont permis de constater certaines similarités entre la science et la pensée bouddhique dans l'esprit d'investigation – similarités que je continue à trouver frappantes. La méthode scientifique, telle que je la comprends, part de l'observation de certains phénomènes du monde matériel. S'ensuit une généralisation théorique qui prédit les événements et les résultats à condition de traiter ces phénomènes d'une façon particulière. Enfin, l'expérience permet de tester la prédiction. Le résultat est accepté et intégré dans l'ensemble d'un savoir scientifique plus large si l'expérience est effectuée de manière correcte et peut être répétée. Cependant, si l'expérience contredit la théorie, c'est alors la théorie qui doit être adaptée – étant donné que l'observation empirique des phénomènes a la priorité. Effectivement, la science passe de l'expérience empirique à une explication via un processus de pensée conceptuelle incluant l'exercice de la raison. Elle conduit à d'autres expériences empiriques permettant de vérifier l'explication fournie par la raison. Longtemps, j'ai été fortement saisi par le parallèle entre cette forme d'investigation empirique et celles que j'avais apprises dans le cadre de ma formation philosophique et de ma pratique contemplative bouddhiques.

Le bouddhisme, au cours de son évolution, est devenu une religion dotée d'un ensemble caractéristique de textes sacrés et de rituels. Mais, si on veut le comprendre au sens strict, il faut savoir que l'autorité des textes sacrés ne peut surpasser une compréhension fondée sur la raison et l'expérience. En fait, le Bouddha lui-même a fait une déclaration célèbre où il réduit l'autorité des textes issus de ses propres paroles en exhortant ses disciples à ne pas accepter la validité de ses enseignements simplement sur la base du respect qu'ils ont à son égard. Tout comme un orfèvre éprouverait la pureté de son or par un examen méticuleux, le Bouddha conseille de tester la vérité de ses paroles par un examen raisonné et par l'expérimentation personnelle. Par conséquent, lorsqu'il s'agit de valider la vérité d'une affirmation, le bouddhisme accorde la plus grande autorité à l'expérience, en deuxième lieu à la raison et en dernier aux textes. Les grands maîtres de l'école Nalanda du bouddhisme indien, d'où est issu le bouddhisme tibétain, se sont appliqués à suivre l'esprit du conseil du Bouddha dans leur examen rigoureux et critique de ses propres enseignements.

D'un côté, les méthodes de la science et du bouddhisme sont différentes : l'investigation scientifique procède par expérimentation, en utilisant des instruments qui analysent des phénomènes extérieurs.

L'investigation contemplative, elle, procède en développant et en affinant l'attention, cette dernière étant utilisée dans l'examen introspectif de l'expérience intérieure. Mais, d'un autre côté, les deux méthodes ont en commun une solide base empirique : si la science démontre que quelque chose existe ou n'existe pas (ce qui n'est pas la même chose que de ne pas la trouver), nous devons alors reconnaître cette chose comme un fait. Si une hypothèse est testée et avérée, nous devons l'accepter. Pareillement, le bouddhisme doit accepter les faits – qu'ils soient découverts par la science ou le résultat d'intuitions contemplatives. Si, en explorant quelque chose, nous découvrons la raison et la preuve de son existence, nous devons la reconnaître comme une réalité – même si celle-ci est en contradiction avec l'explication littérale d'un écrit qui a prévalu durant des siècles ou avec une opinion ou bien un point de vue fermement ancrés. Le bouddhisme et la science partagent donc une même attitude fondamentale, à savoir s'engager à poursuivre la recherche de la réalité par des moyens empiriques et consentir à abandonner des positions acceptées ou ancrées depuis longtemps si cette recherche découvre une vérité différente.

À l'inverse de la religion, une caractéristique importante de la science est l'absence de référence à des écrits faisant autorité pour valider ses prétentions à la vérité. En science, toutes les vérités doivent être démontrées soit par l'expérimentation, soit par la preuve mathématique. L'idée que quelque chose est ainsi parce que Newton ou Einstein l'ont déclaré n'est tout simplement pas scientifique. Pour procéder à une recherche, il faut donc être ouvert à la question ainsi qu'au contenu de la réponse, état d'esprit que je considère comme un scepticisme sain. Ce type d'ouverture rend les individus réceptifs à de nouvelles idées et à de nouvelles découvertes ; et, lorsqu'elle est associée à la quête de compréhension naturelle chez l'homme, elle contribue à élargir profondément notre horizon. Bien sûr, cela ne signifie pas que tous ceux qui pratiquent la science vivent selon cet idéal. Certains se retrouvent même prisonniers de paradigmes anciens.

Concernant les traditions bouddhiques d'investigation, nous, Tibétains, avons une dette immense envers l'Inde classique, berceau de la pensée philosophique et de l'enseignement spirituel bouddhiques. Les Tibétains ont toujours évoqué l'Inde comme la « terre des Nobles ». C'est le pays qui a donné naissance au Bouddha et à une série de grands maîtres indiens dont les écrits ont fondamentalement façonné la pensée philosophique et la tradition spirituelle des Tibétains – le philosophe du IIe siècle, Nagarjuna ; les célèbres penseurs du IVe siècle, Asanga et son frère Vasubandhu ; le grand enseignant d'éthique Shantideva et le logicien du VIIe siècle, Dharmakirti.

Depuis ma fuite du Tibet en mars 1959, un grand nombre de réfugiés tibétains et moi-même avons eu l'extrême chance de trouver un second foyer en Inde. Le président indien en poste dans les premières années de mon exil, le Dr Rajendra Prasad, était un homme profondément spirituel ainsi qu'un juriste érudit et respecté. Le vice-président, qui accéda plus tard à la présidence, le Dr Sarvepalli Radhakrishnan, avait un intérêt professionnel et personnel connu pour la philosophie. Je garde un vif souvenir de cet instant où, au milieu d'une discussion sur une question philosophique, Radhakrishnan récita spontanément une stance de l'œuvre classique de Nagarjuna, *La Sagesse fondamentale de la Voie du milieu*. Il est tout à fait remarquable que l'Inde, depuis son indépendance en 1947, ait maintenu la noble tradition de confier la présidence de la nation à des penseurs et scientifiques connus.

Après une décennie difficile d'adaptation passée à aider la communauté d'environ quatre-vingt mille réfugiés tibétains à s'établir dans diverses parties de l'Inde, à créer des écoles pour les jeunes et tenter de préserver les institutions d'une culture menacée, vers la fin des années 1960, j'ai entamé mes voyages à travers le monde. J'ai mené une action de fond pour faire partager ma vision quant à l'importance des valeurs humaines fondamentales, pour défendre la compréhension et l'harmonie interreligieuses et promouvoir les droits et les libertés du peuple tibétain. Mais j'ai aussi profité de mes voyages pour rencontrer d'éminents scientifiques afin de discuter de mes centres d'intérêt, accroître mes connaissances et approfondir ma compréhension de la science et de ses méthodes. Dès les années 1960, j'avais déjà abordé ces aspects de l'interface religion-science avec ceux qui m'honoraient de leur visite à ma résidence de Dharamsala, dans le nord de l'Inde. Deux des rencontres les plus mémorables de cette époque ont été celle avec le moine trappiste Thomas Merton, qui portait un profond intérêt au bouddhisme et me fit découvrir le christianisme, et celle avec le spécialiste en religion Huston Smith.

L'un de mes premiers enseignants en science et de mes plus proches amis scientifiques a été le physicien et philosophe allemand Carl von Weizsäcker, frère du président ouest-allemand. Il se décrivait lui-même comme un professeur de philosophie politiquement engagé ayant reçu une formation de physicien dans les années 1930. En réalité, von Weizsäcker occupait le poste d'assistant du grand spécialiste de physique quantique Werner Heisenberg. Je n'oublierai jamais l'exemple inspirant de von Weizsäcker, qui se préoccupait en permanence des effets – en particulier les conséquences éthiques et politiques – de la science. Inlassablement, il s'efforçait d'appliquer la rigueur de la recherche philosophique à l'activité scientifique et de lancer en permanence des défis à la science.

Outre de longues discussions informelles à diverses occasions, j'ai eu la chance de recevoir quelques leçons formelles de von Weizsäcker sur des sujets scientifiques. Elles se déroulaient sur un mode assez semblable à celui de la transmission du savoir de personne à personne, forme d'enseignement courante dans ma propre tradition tibétaine. À plusieurs reprises, nous avons pu nous réserver deux journées entières durant lesquelles von Weizsäcker m'a donné des cours intensifs de physique quantique et ses implications philosophiques. Je lui suis profondément reconnaissant de son immense bonté, du temps précieux qu'il m'a accordé ainsi que de sa grande patience. Il lui en a fallu lorsque je me débattais avec un concept ardu, ce qui, je dois l'admettre, n'était pas rare.

Von Weizsäcker insistait beaucoup sur l'importance de l'empirisme en science. On peut connaître la matière de deux manières, disait-il – soit elle est donnée comme phénomène, soit elle est déduite. Par exemple, imaginons que nous voyons à l'œil nu une tache brune sur une pomme ; il s'agit d'un phénomène. Mais le fait qu'il y ait un ver dans la pomme, cela, nous pouvons le déduire de la tache et de notre connaissance générale concernant les pommes et les vers.

Dans la philosophie bouddhique existe le principe selon lequel les moyens utilisés pour tester une proposition spécifique doivent coïncider avec la nature du sujet analysé. Prenons l'exemple d'une proposition qui porte sur des faits observables (y compris notre propre existence). C'est l'expérience empirique qui permettra d'affirmer si la proposition est valable ou non. Le bouddhisme accorde ainsi la priorité à la méthode de l'observation directe. En revanche, si la proposition a trait à des généralisations déduites de notre expérience du monde (par exemple, la nature transitoire de la vie ou l'interconnectivité de la réalité), c'est alors par la raison, principalement sous forme de déduction, que la proposition sera acceptée ou rejetée. Ainsi, le bouddhisme accepte la méthode de la déduction raisonnée – très proche du modèle présenté par von Weizsäcker.

Enfin, du point de vue bouddhique, il existe un autre niveau de réalité qui demeure obscur pour l'esprit non éveillé. Dans la tradition, une illustration typique en serait les mécanismes très subtils de la loi du karma et la question de savoir pourquoi il existe tant d'espèces d'êtres vivants sur terre. Seuls les textes appartenant à cette catégorie de propositions font autorité. Les bouddhistes partent en effet du principe que le témoignage de Bouddha s'est révélé fiable dans sa façon d'examiner la nature de l'existence et la voie vers la libération. Ce principe des trois méthodes de vérification – expérience, déduction et autorité fiable – est demeuré implicite dans les premiers temps de la pensée bouddhique. Ce sont les grands logiciens indiens Dignana (ve siècle) et Dharmakirti (viie siècle) qui, les premiers, l'ont ensuite adopté comme méthodologie systématique dans leur philosophie.

Dans ce dernier exemple, le bouddhisme et la science se séparent nettement, puisque la science, du moins en principe, ne reconnaît nulle autorité à un écrit. Mais les deux traditions d'investigation convergent sur la méthodologie : application de l'expérience empirique et de la raison. Reste que, dans notre vie quotidienne, c'est à la troisième méthode que nous faisons habituellement appel pour tester la véracité de certaines affirmations. Par exemple, nous acceptons la date de notre naissance sur la foi du témoignage oral de nos parents et du témoignage écrit d'un certificat de naissance. Même dans le domaine scientifique, nous acceptons les résultats publiés par des chercheurs dans des revues scientifiques sans reproduire nous-mêmes leurs expérimentations.

Ma rencontre avec le remarquable physicien David Böhm, qui possédait l'une des plus grandes intelligences et l'un des esprits les plus ouverts qu'il m'ait été donné de croiser, a sans aucun doute conféré encore plus de profondeur à mon implication dans le domaine scientifique. Je l'ai rencontré pour la première fois en Angleterre en 1979, lors de mon deuxième voyage en Europe, et nous nous sommes sentis très proches – en fait, j'ai plus tard découvert que Böhm avait, lui aussi, été exilé, obligé de quitter l'Amérique durant les persécutions de la période maccarthyste. Nous avons entamé une amitié durable et une exploration intellectuelle mutuelle. David Böhm m'a servi de guide dans les méandres les plus subtils de la pensée scientifique et m'a présenté la vision du monde scientifique sous le meilleur angle. Lorsque j'écoutais très attentivement l'argumentation approfondie d'un physicien tel que Böhm ou von Weizsäcker, je sentais que je parvenais à en saisir totalement les subtilités ; malheureusement, lorsque les séances s'achevaient, il n'en restait souvent pas grand-chose ! Ma discussion suivie avec Böhm s'est étalée sur deux décennies et a alimenté ma propre réflexion sur les correspondances entre les méthodes d'investigation bouddhiques et celles de la science moderne.

L'extraordinaire ouverture de Böhm à toutes les sphères de l'expérience humaine s'appliquait non seulement au monde matériel de sa discipline profes-sionnelle, mais aussi à tous les aspects de la subjecti-vité, dont la question de la conscience. Dans nos conversations, je sentais la présence d'un grand esprit scientifique prêt à reconnaître la valeur des obser-vations et des idées provenant d'autres modes de connaissance que le mode scientifique objectif.

En Böhm s'incarnait tout particulièrement la fasci-nante méthode d'investigation scientifique dite expé-rience de pensée. En termes plus simples, cette pra-tique essentiellement philosophique consiste à imaginer un scénario dans lequel on teste une hypothèse spécifique en examinant ses conséquences sur des affirmations normalement irréfutables. Einstein a bâti une grande partie de son œuvre sur la relativité de l'espace et du temps en faisant appel à ces expériences de pensée. Il testait ainsi la physique de son époque. Un célèbre exemple est celui du paradoxe des jumeaux, où l'on voit un des frères demeurer sur terre pendant que l'autre voyage à bord d'un vaisseau spatial à une vitesse proche de celle de la lumière. Pour le jumeau embarqué, le temps devrait ralentir. S'il revenait dix ans plus tard, il découvrirait que son frère resté sur terre serait bien plus vieux que lui. Pour apprécier complètement ce paradoxe, il faut comprendre des équations mathématiques complexes qui, malheureusement, dépassent mon entendement.

Dans mon engagement vis-à-vis de la science, j'ai toujours été passionné par cette méthode d'analyse en raison de son parallèle étroit avec la pensée philosophique bouddhique. Avant notre rencontre, Böhm s'était plusieurs fois entretenu longuement avec le penseur indien Jiddu Krishnamurti. À de nombreuses occasions, Böhm et moi-même avons exploré les possibles points communs entre la méthode scientifique objective et la pratique méditative qui, du point de vue bouddhique, est également empirique.

Si le bouddhisme et la science mettent tous deux l'accent sur l'empirisme et la raison, les deux systèmes diffèrent profondément sur leur acception de l'expérience empirique et emploient des formes de raisonnement différentes. Lorsque le bouddhisme parle de l'expérience empirique, c'est dans une acception large qui inclut aussi bien les états de méditation que les preuves fournies par les sens. Du fait du développement de la technologie ces deux derniers siècles, la science a pu étendre la capacité des sens à des degrés inimaginables auparavant. Les scientifiques observent donc à l'œil nu, bien sûr, avec l'aide de puissants instruments comme les microscopes et les télescopes, d'une part des phénomènes atomiques minuscules, telles les cellules et les structures atomiques complexes, d'autre part les vastes structures du cosmos. En repoussant l'horizon des sens, la science a aussi repoussé les limites de la déduction plus loin que ne l'avait jamais atteinte le savoir humain. Maintenant, des traces laissées dans les chambres à bulles, les physiciens déduisent l'existence des constituants des atomes, même et y compris les éléments à l'intérieur du neutron, comme les quarks et les gluons.

Lorsque, enfant, je menais des expériences avec le télescope appartenant au treizième dalaï-lama, je fis un jour une vive expérience du pouvoir de déduction fondée sur l'observation empirique. Dans le folklore tibétain, nous parlons du lapin dans la Lune – je crois que les Européens y voient plutôt un homme qu'un lapin. En tout cas, une nuit de pleine lune d'automne, alors que l'astre était particulièrement clair, je décidai d'examiner le lapin à l'aide de mon télescope. À ma surprise, je vis ce qui apparaissait comme des ombres. J'étais si excité que j'insistai pour que mes deux précepteurs viennent regarder dans le télescope. Je leur dis que la présence d'ombres sur la Lune apportait la preuve qu'elle était éclairée par la lumière du Soleil de la même manière que la Terre. Ils semblaient perplexes mais convinrent que la perception des ombres sur la Lune était indubitable. Plus tard, lorsque j'ai vu des photos de cratères lunaires dans un magazine, j'ai remarqué le même effet : dans le cratère, il y avait une ombre d'un côté, mais pas de l'autre. À partir de cela, j'ai déduit qu'il devait y avoir une source de lumière projetant cette ombre, tout comme sur la Terre. J'en ai conclu que le Soleil devait forcément être la source de lumière responsable des ombres sur les cratères de la Lune. J'ai été très excité lorsque, plus tard, j'ai découvert que c'était effectivement le cas.

En toute rigueur, ce processus de raisonnement n'appartient en propre ni au bouddhisme ni à la science ; il reflète plutôt une activité fondamentale de l'esprit humain, qui s'exerce tous les jours de façon naturelle. Ainsi, pour les jeunes aspirants moines, l'introduction formelle à la déduction comme principe de logique se fait avec l'histoire de la colonne de fumée. Lorsqu'on la voit s'élever au-dessus d'un col de montagne, on en déduit la présence d'un feu. Au Tibet, il serait normal de déduire que, s'il y a un feu, il y a des habitations. On imagine aisément qu'un voyageur assoiffé après une longue journée de marche ressente le besoin de boire une tasse de thé. Il aperçoit la fumée, en déduit qu'il y a du feu et donc une habitation où il s'abritera pour la nuit. À partir de cette déduction, le voyageur va pouvoir assouvir son désir de boire du thé. À partir de l'observation d'un phénomène, directement évident pour les sens, on déduit ce qui reste caché. Cette forme de raisonnement est commune au bouddhisme et à la science.

Lors de ma première visite en Europe, en 1973, j'eus l'honneur de rencontrer un autre grand esprit du XXᵉ siècle, le philosophe sir Karl Popper. Comme moi, Popper avait été exilé – de sa Vienne natale durant la période nazie – et il est devenu l'un des critiques les plus éloquents du totalitarisme. Nous nous sommes donc trouvé beaucoup de points communs. Popper avait plus de soixante-dix ans lorsque j'ai fait sa connaissance, des yeux vifs et une grande acuité intellectuelle. Je pouvais imaginer combien il avait été énergique dans sa jeunesse en voyant sa passion lors de nos discussions concernant les régimes autoritaires. Il était plus préoccupé par la menace grandissante du communisme, les périls des systèmes politiques totalitaires, les défis concernant la sauvegarde des libertés individuelles et la préservation d'une société ouverte que par la relation entre la science et la religion. Nous abordâmes tout de même les problèmes relatifs à la méthode scientifique.

Mon anglais n'était alors pas aussi bon que maintenant et mes traducteurs n'étaient pas vraiment compétents. Il est plus difficile de débattre de la philosophie et de la méthode que de la science empirique. Par conséquent, j'ai sans doute moins profité de ma rencontre avec Popper que de celles avec David Böhm et Carl von Weizsäcker. Mais une amitié s'était ébauchée et je le revis lors de toutes mes visites en Angleterre, dont celle de 1987, mémorable, où il m'avait invité à prendre le thé chez lui, à Kenley, dans le Surrey. J'aime les fleurs et le jardinage, tout particulièrement la culture des orchidées, et sir Karl me fit faire avec grande fierté le tour de son jardin et de sa serre pleins de charme. J'avais entre-temps découvert son influence importante en philosophie des sciences, en particulier sur la question de la méthode scientifique.

L'une des principales contributions de Popper a résidé dans la clarification des rôles relatifs du raisonnement inductif et déductif dans la postulation des hypothèses scientifiques et la preuve à leur apporter. Par induction, nous entendons : aboutir à une généralisation à partir d'une série d'exemples observés empiriquement. Une bonne partie de notre connaissance quotidienne des relations de cause à effet est inductive ; par exemple, à partir d'observations répétées de la corrélation entre la fumée et le feu, nous énonçons la généralisation selon laquelle, lorsqu'il y a de la fumée, il y a du feu. La déduction est le processus inverse qui va de la vérité générale à l'observation particulière. Par exemple, si l'on sait que toutes les voitures produites en Europe après 1995 n'utilisent que de l'essence sans plomb, si la voiture d'un ami a été fabriquée en 2000, on en déduit qu'elle doit rouler à l'essence sans plomb. Bien sûr, en science, ces formes sont bien plus complexes, en particulier la déduction, qui implique le recours à des mathématiques approfondies.

C'est dans le rôle de la déduction que bouddhisme et science diffèrent. La science se distingue tout particulièrement dans son exercice de la raison par son recours hautement développé à un raisonnement mathématique complexe. Le bouddhisme, comme toutes les autres philosophies indiennes classiques, est demeuré historiquement très concret dans son utilisation de la logique, le raisonnement n'étant jamais détaché d'un contexte particulier. Le raisonnement mathématique de la science offre, en revanche, un degré immense d'abstraction, de sorte qu'un argument est validé ou non simplement sur la base de l'exactitude d'une équation. En un sens, la généralisation ainsi obtenue par le biais des mathématiques se situe à un niveau beaucoup plus élevé que ne le permettent les formes traditionnelles de la logique. Étant donné le succès extraordinaire des mathématiques, il n'est pas étonnant que certaines personnes pensent que les lois mathématiques sont absolues et que les mathématiques sont le véritable langage de la réalité, consubstantiel à la nature elle-même.

Une autre différence entre la science et le bouddhisme réside, selon moi, dans ce qui fait la validité d'une hypothèse. Là aussi, quand Popper a expliqué comment tracer la ligne de démarcation du champ d'une question strictement scientifique, il a marqué l'aboutissement d'une grande intuition. Il s'agit de la thèse de la réfutabilité poppérienne, selon laquelle toute théorie scientifique doit contenir en elle-même les conditions permettant de démontrer qu'elle est fausse. Par exemple, la théorie selon laquelle Dieu a créé le monde ne pourra jamais être considérée comme une théorie scientifique. Elle ne contient pas d'explication des conditions selon lesquelles on pourra prouver qu'elle est fausse. Si nous prenons ce critère au sérieux, de nombreuses questions relatives à notre existence humaine telles que l'éthique, l'esthétique et la spiritualité demeurent alors hors du champ de la science. En revanche, le domaine d'investigation, dans le bouddhisme, n'est pas limité à l'objectif. Il englobe également le monde subjectif de l'expérience ainsi que la question des valeurs. En d'autres termes, la science traite de faits empiriques mais pas de métaphysique et d'éthique, tandis que, pour le bouddhisme, l'investigation critique de ces trois domaines est essentielle.

La thèse de la réfutabilité de Popper fait écho à un grand principe méthodologique de ma propre tradition philosophique bouddhique tibétaine. Nous pourrions l'appeler le « principe du champ de la négation ». Selon ce principe, il y a une différence fondamentale entre ce qui n'est « pas trouvé » et ce dont on « a trouvé qu'il n'existe pas ». Si je cherche quelque chose et ne le trouve pas, cela ne signifie pas que la chose que je recherche n'existe pas. Ne pas voir une chose est différent de voir sa non-existence. Afin qu'il y ait coïncidence entre ne pas voir une chose et voir sa non-existence, la méthode de recherche et le phénomène recherché doivent être commensurables. Par exemple, ne pas voir un scorpion sur la page que vous êtes en train de lire est une preuve adéquate qu'il n'y a pas de scorpion sur la page. Car s'il y avait un scorpion sur la page, il serait visible à l'œil nu. Cependant, ne pas voir d'acide dans le papier sur lequel la page est imprimée n'est pas la même chose que de voir que le papier ne contient pas d'acide, car, pour voir de l'acide dans le papier, il faudrait des outils autres que l'œil nu. Le philosophe du XIVᵉ siècle, Tsongkhapa, énonce de surcroît qu'il existe une distinction similaire entre ce qui est nié par la raison et ce qui n'est pas affirmé par la raison. De même, il existe une distinction entre ce qui ne résiste pas à l'analyse critique et ce qui est infirmé par cette analyse.

Ces distinctions méthodologiques semblent peut-être abstruses, mais elles ont d'importantes répercussions sur la compréhension du champ de l'analyse scientifique. Par exemple, le fait que la science n'ait pas prouvé l'existence de Dieu ne signifie pas que Dieu n'existe pas, pour ceux qui ont une tradition théiste. De même, que la science n'ait pas prouvé, sans l'ombre d'un doute, que les êtres revivent ne signifie pas que la réincarnation est impossible. En science, le fait que nous n'ayons jusqu'à présent trouvé de vie sur aucune autre planète que la nôtre ne prouve pas que la vie n'existe pas ailleurs.

Au milieu des années 1980, j'avais déjà rencontré, lors de mes multiples voyages hors de l'Inde, de nombreux scientifiques et philosophes des sciences et participé à divers entretiens avec eux, en public et en privé. Certains d'entre eux, en particulier au début, ont été peu fructueux. À Moscou, au cœur de la guerre froide, lors d'une de ces rencontres, ma discussion sur la conscience suscita une attaque immédiate visant le concept religieux de l'âme, dont ils pensaient que je le défendais. En Australie, un scientifique ouvrit sa présentation par une déclaration hostile expliquant qu'il était là pour défendre la science dans le cas où elle serait attaquée par la religion. Cependant, l'année 1987 marqua une étape importante dans mon implication vis-à-vis de la science. Cette année-là eut lieu la première conférence Mind and Life (*on les connaît sous ce nom anglais, qui signifie « l'esprit et la vie », NdT*) à ma résidence de Dharamsala.

La rencontre fut organisée par le neuroscientifique chilien Francisco Varela, qui enseignait à Paris, et l'homme d'affaires américain Adam Engle. Varela et

Engle me firent la proposition suivante : ils réuniraient un groupe de scientifiques de diverses disciplines, favorables au dialogue, et nous nous engagerions dans une discussion privée, ouverte et informelle pendant une semaine. D'emblée, j'ai accepté l'idée. C'était une extraordinaire opportunité pour en apprendre encore plus sur la science, de découvrir les dernières recherches et les derniers progrès en la matière. Tous les participants à cette première rencontre furent si enthousiastes que le processus s'est poursuivi jusqu'à ce jour, au rythme d'une rencontre d'une semaine tous les deux ans.

J'ai vu pour la première fois Varela à une conférence en Autriche. La même année, je l'ai rencontré en tête à tête et nous sommes devenus amis sur-le-champ. Varela était un homme mince, portant lunettes et s'exprimant d'une voix douce. Il incarnait l'association d'un esprit fin et logique avec une extraordinaire clarté d'expression, ce qui faisait de lui un enseignant exceptionnel. Il prenait très au sérieux la philosophie bouddhique et sa tradition contemplative, mais, dans ses présentations, il exposait la pensée actuelle de la science officielle, sans fioritures et de façon objective. Je ne pourrai jamais exprimer suffisamment ma gratitude envers Varela et Engle, ainsi qu'envers Barry Hershey, qui a généreusement fourni les moyens matériels pour réunir les scientifiques à Dharamsala. J'ai bénéficié pour ces dialogues de l'aide de deux interprètes compétents, l'érudit bouddhiste américain Alan Wallace et mon traducteur Thupten Jinpa.

Lors de cette première conférence Mind and Life, j'ai, pour la première fois, entendu le récit historique complet des évolutions de la méthode scientifique en Occident. Ce qui m'a particulièrement intéressé, c'est l'idée des changements de paradigme – c'est-à-dire le moment où une culture change fondamentalement de vision du monde et l'impact qu'a ce changement sur tous les aspects de l'interprétation scientifique. Un exemple classique est le passage, au début du XXᵉ siècle, de la physique newtonienne à la relativité et à la mécanique quantique. Au départ, l'idée de changement de paradigme m'a choqué. Ma vision de la science était celle d'une quête incessante de la vérité ultime sur ce qu'est la réalité. Les nouvelles découvertes représentaient des étapes dans un processus progressif et collectif de connaissance du monde par l'humanité. Idéalement, cela consistait à atteindre une étape finale de connaissance complète et parfaite. Et, là, j'entendais dire que des éléments subjectifs étaient impliqués dans l'émergence de tout paradigme particulier et qu'il y avait de bonnes raisons de manier avec prudence l'idée d'une réalité entièrement objective à laquelle la science nous donnerait accès.

Lorsque je m'entretiens avec des scientifiques et des philosophes des sciences à l'esprit ouvert, il est clair que leur compréhension de la science est profondément nuancée et qu'ils reconnaissent les limites de la connaissance scientifique. En même temps, il y a beaucoup de gens, scientifiques et non scientifiques, qui semblent penser que tous les aspects de la réalité doivent entrer dans le champ de la science et y entreront forcément. On émet souvent l'hypothèse que, au fur et à mesure que la société progresse, la science ne cesse de révéler les erreurs de nos croyances – particulièrement les croyances religieuses – et que finalement émergera une société séculaire éclairée. C'est, entre autres, la vision des matérialistes dialectiques marxistes, comme je l'ai découvert, dans les années 1950, lors de mes rencontres avec les dirigeants de la Chine communiste ainsi qu'au cours de mes études de la pensée marxiste au Tibet. Cette façon de voir montre que la science a réfuté de nombreuses prétentions de la religion, telles que l'existence de Dieu, la grâce et l'âme éternelle. Et, dans ce cadre conceptuel, tout ce qui n'est pas prouvé ou affirmé par la science est d'une certaine façon soit faux, soit négligeable. De fait, il s'agit d'hypothèses philosophiques qui reflètent les préjugés métaphysiques de leurs défenseurs. Tout comme nous devons éviter le dogmatisme en science, nous devons veiller à ce que la spiritualité ne s'enferme pas dans de semblables limites.

La science traite de cet aspect de la réalité et de l'expérience humaine qui se prête à une méthode particulière d'investigation : faire une observation empirique puis la quantifier et la mesurer, enfin, s'assurer que l'expérience est répétée et vérifiée par différentes personnes. Plus d'un observateur doit dire : « Oui, j'ai vu la même chose, j'ai obtenu les mêmes résultats. » Sa légitimité est donc limitée au monde physique, comprenant le corps humain, les corps astronomiques, l'énergie mesurable et le fonctionnement des structures. Les résultats empiriques obtenus de cette manière constituent la base d'autres expérimentations et généralisations qui seront intégrées dans l'ensemble plus large de la connaissance scientifique. C'est effectivement le paradigme actuel de la science. Il est clair que ce paradigme n'englobe pas – et ne peut pas englober – tous les aspects de la réalité, en particulier la nature de l'existence humaine. Outre le monde objectif de la matière, que la science excelle à explorer, il existe un monde subjectif des sentiments, émotions, pensées ainsi que des valeurs et aspirations spirituelles nées de ces derniers. Si nous traitons ce domaine comme s'il n'avait pas de rôle constitutif dans notre compréhension de la réalité, nous perdons de vue ce qui fait la richesse de notre propre existence et notre compréhension n'est pas complète. La réalité, englobant notre propre existence, est tellement plus complexe que ce que propose le matérialisme scientifique objectif.

3

Vacuité, relativité et physique quantique

C'est l'un des aspects les plus fascinants de la science que de voir combien notre compréhension du monde se modifie à la lumière de nouvelles découvertes. La physique se débat encore avec les implications du changement de paradigme qui s'est imposé après l'apparition de la relativité et de la mécanique quantique au tournant du XXe siècle. Les scientifiques et les philosophes sont constamment confrontés à des modèles contradictoires de la réalité – si le modèle newtonien suppose un univers mécanique et prévisible, celui de la relativité et de la mécanique quantique le voit plus chaotique. Les implications du second modèle pour notre compréhension du monde ne sont pas encore entièrement claires.

Ma propre vision du monde est fondée sur la philosophie et les enseignements du bouddhisme, qui ont émergé dans le milieu intellectuel de l'Inde ancienne. J'ai été initié à la philosophie indienne ancienne dès mon jeune âge. Mes professeurs de l'époque étaient Tadrak Rinpoché, alors régent du Tibet, et Ling Rinpoché. Tadrak Rinpoché était un homme âgé, extrêmement respecté et assez austère. Ling Rinpoché était beaucoup plus jeune ; toujours gentil, très instruit, il parlait d'une voix douce, sans être très loquace (du moins quand j'étais enfant). Je me rappelle que j'étais terrifié en leur présence. Je disposais de plusieurs assistants en philosophie pour m'aider à débattre durant les leçons. Parmi eux, Trijang Rinpoché et le célèbre moine érudit venu de Mongolie, Ngodrup Tsoknyi. À la mort de Tadrak Rinpoché, Ling Rinpoché est devenu mon précepteur principal et Trijang Rinpoché a été promu au rang de second précepteur.

Tous deux ont été mes précepteurs jusqu'à la fin de ma scolarité ; ils m'ont en permanence transmis l'enseignement des lignées multiples qui font l'héritage bouddhique tibétain. Très amis, ils étaient pourtant de caractères différents. Avec sa silhouette trapue, son crâne chauve et luisant, Ling Rinpoché avait le corps secoué de soubresauts lorsqu'il riait. Ses yeux étaient petits mais sa présence immense. Grand et mince, le nez plutôt pointu pour un Tibétain, Trijang Rinpoché avait beaucoup de grâce et d'élégance. Doux, il s'exprimait d'une voix profonde, particulièrement lorsqu'il psalmodiait. Doté d'un vif esprit logique, Ling Rinpoché était un philosophe pénétrant qui maîtrisait l'art du débat contradictoire, servi en cela par une mémoire phénoménale. Avec une connaissance éclectique de l'art et de la littérature, Trijang Rinpoché était l'un des plus grands poètes de sa génération. Vu mon tempérament et mes dons naturels, je pense être plus proche de Ling Rinpoché que de tout autre de mes précepteurs. Il est sans doute juste de dire que c'est lui qui a eu le plus d'influence sur ma vie.

Lorsque j'ai commencé à étudier les doctrines diverses des écoles de l'Inde ancienne, je n'étais pas en mesure de faire le lien entre elles et ce que me dictait ma propre expérience. Par exemple, la théorie Samkhya de la causalité affirme que tout effet est une manifestation de ce qui préexistait dans la cause ; la théorie Vaisheshika des universaux propose que la pluralité de toute classe d'objets possède une généralité idéale permanente, indépendante de tous les détails. Il y a des arguments théistes indiens prouvant l'existence d'un créateur et des contre-arguments bouddhiques démontrant le contraire. De plus, il m'a fallu apprendre les nombreuses et complexes différences entre les diverses doctrines bouddhiques. Tout cela était un peu trop ésotérique aux yeux d'un tout jeune adolescent qui manifestait plus d'enthousiasme à démonter et remonter des montres ou des automobiles et à s'absorber dans la contemplation des photos de la Seconde Guerre mondiale publiées dans des livres et dans le magazine *Life*. En fait, lorsque Babu Tashi ouvrait et nettoyait le groupe électrogène, je lui prêtais mon concours. Je prenais tant de plaisir à cette opération que j'en oubliais souvent mes études et même mes repas. Lorsque mes assistants en philosophie venaient m'aider à réviser, mon esprit repartait vers le groupe électrogène et ses nombreuses pièces.

Mais tout a changé pour moi à l'âge de seize ans. Les événements se sont précipités. Après que l'armée chinoise eut atteint la frontière du Tibet à l'été 1950, le régent, Tadrak Rinpoché, suggéra que le temps était venu pour moi d'assurer la direction temporelle entière du pays. La perte de ma jeunesse, imposée par la grave réalité de la crise imminente, est sans doute ce qui me révéla la véritable valeur de l'éducation.

Quelle qu'en soit la cause, à partir de seize ans, mon engagement dans l'étude de la philosophie, de la psychologie et de la spiritualité bouddhiques a évolué en qualité. Non seulement je me suis de tout cœur voué à ces études, mais j'en suis également venu à faire le lien entre nombre d'aspects de ce que j'étudiais et ma compréhension personnelle de la vie et des événements du monde extérieur.

Tandis que je me plongeais à fond dans l'étude, la réflexion et la contemplation méditative de la pensée et de la pratique bouddhiques, les rapports entre le Tibet et les forces chinoises dans le pays – dans une tentative d'arrangement politique mutuellement satisfaisant – devenaient de plus en plus compliqués. Finalement, tout de suite après la fin de ma scolarité et l'examen de Geshe que j'ai passé dans la ville sainte de Lhassa en présence de plusieurs milliers de moines, événement qui a marqué la fin de mes études et qui demeure à ce jour une source de grande satisfaction pour moi, la situation de crise au centre du Tibet me força à prendre la fuite de ma patrie vers l'Inde, pour entamer une vie de réfugié apatride. C'est encore mon statut légal. Mais, en perdant ma citoyenneté dans mon propre pays, j'en ai trouvé une au sens plus large ; je déclare sincèrement que je suis citoyen du monde.

L'une des plus importantes idées philosophiques du bouddhisme est issue de ce qui est connu comme la théorie de la vacuité. Au cœur de cette notion réside la reconnaissance profonde qu'il existe une disparité fondamentale entre notre manière de percevoir le monde, y compris notre propre existence en son sein, et la manière dont les choses sont véritablement. Dans notre expérience quotidienne, nous avons tendance à nous relier au monde et à nous-mêmes comme si ces entités possédaient une réalité close, définissable, distincte et durable. Par exemple, si nous examinons notre propre conception du soi, nous découvrons que nous avons tendance à croire que notre être possède un noyau essentiel qui donne à notre individualité et à notre identité le caractère d'un ego distinct, indépendant des éléments physiques et mentaux qui constituent notre existence. La philosophie de la vacuité révèle que c'est non seulement une erreur fondamentale, mais également la base de l'attachement, du besoin d'appropriation et du développement de nos nombreux préjugés.

Selon la théorie de la vacuité, toute croyance en une réalité objective fondée sur l'hypothèse d'une existence intrinsèque, indépendante, est fausse. Toutes les choses et tous les événements, qu'ils soient des concepts matériels, mentaux ou même abstraits, tel le temps, sont dénués d'existence objective, indépendante. Posséder ainsi une existence indépendante, intrinsèque impliquerait que les choses et les événements sont en quelque sorte « complets » et par conséquent entièrement indépendants. Cela signifierait qu'ils ne peuvent pas interagir et que rien n'a d'influence sur eux. Or nous savons qu'il y a cause et effet – tournez une clé dans un démarreur, les bougies s'allument, le moteur tourne et l'essence et l'huile brûlent. Dans un univers de choses indépendantes existant en soi, ces événements n'arriveraient jamais. Je ne pourrais pas écrire sur du papier et vous ne pourriez pas lire les mots sur la page. Donc, puisque nous interagissons et nous modifions mutuellement, il nous faut supposer que nous ne sommes pas indépendants – quelle que soit notre impression ou notre intuition du contraire.

Effectivement, la notion d'existence intrinsèque, indépendante est incompatible avec la causalité. La causalité implique la contingence et la dépendance. Quoi que ce soit possédant une existence indépendante serait immuable et clos. Tout est composé d'événements interdépendants, de phénomènes en interaction continuelle sans essence fixe ou immuable, entretenant des relations dynamiques constamment changeantes. Les choses et événements sont « vides » en ce qu'ils ne possèdent pas d'essence immuable, de réalité intrinsèque ou d'« être » absolu conférant l'indépendance. Les textes bouddhiques nomment cette vérité fondamentale sur « la manière dont les choses sont réellement » « vacuité », ou *shunyata* en sanscrit.

Dans notre vision du monde naïve ou fondée sur le sens commun, nous nous relions aux choses et aux événements comme s'ils possédaient une réalité intrinsèque durable. Nous avons tendance à croire que le monde est composé de choses et d'événements indépendants, ayant une réalité en soi et qui interagissent. Nous croyons que des semences intrinsèquement réelles produisent des cultures intrinsèquement réelles à un moment intrinsèquement réel dans un lieu intrinsèquement réel. Nous pensons que chaque membre de ce nexus causal – la semence, le temps, le lieu et l'effet – a un statut ontologique solide. Cette vision du monde constitué d'objets solides et de propriétés en soi est encore renforcée par notre langage, celui-ci comportant sujets et prédicatifs, étant structuré en noms et adjectifs, en substantifs d'une part et en verbes actifs de l'autre. Mais tout est constitué de parties – une personne est à la fois corps et esprit. En outre, l'identité elle-même des choses dépend de nombreux facteurs, tels que les noms que nous leur donnons, les fonctions et concepts que nous développons à leur sujet.

Bien qu'elle soit fondée sur l'interprétation des anciens textes sacrés attribués au Bouddha historique, cette théorie de la vacuité a été introduite en premier et de façon systématique par le grand philosophe bouddhiste Nagarjuna (vers le IIe siècle). On connaît peu de chose de sa vie personnelle, si ce n'est qu'il était originaire de l'Inde du Sud et fut – après le Bouddha lui-même – celui qui a joué le rôle le plus important dans la formulation du bouddhisme en Inde. Les historiens lui attribuent l'émergence de l'école de la Voie du milieu (bouddhisme Mahayana), qui demeure à ce jour l'école prédominante chez les Tibétains. Son œuvre philosophique la plus influente, *La Sagesse fondamentale de la Voie du milieu*, est toujours apprise par cœur, étudiée et débattue dans les universités monastiques tibétaines.

J'ai passé beaucoup de temps à étudier dans le détail les questions soulevées par ce texte et à en débattre avec mes professeurs et mes collègues. Dans les années 1960, durant ma première décennie d'exil en Inde, j'ai pu me plonger à fond et très personnellement dans la philosophie de la vacuité. Contrairement à aujourd'hui, ma vie était alors assez calme, et j'avais relativement peu d'engagements officiels. Je n'avais pas encore commencé à voyager à travers le monde, activité qui maintenant occupe une partie substantielle de mon temps. Au cours de cette précieuse décennie, j'ai eu la chance de passer de nombreuses heures avec mes précepteurs, tous deux experts en philosophie et en pratiques méditatives de la vacuité.

Je recevais également l'enseignement d'un érudit tibétain, humble mais doué, du nom de Nyima Gyalsten. Connu sous le surnom affectueux de Gen Nyima, il était l'un de ces rares individus à posséder le don de savoir exprimer des idées philosophiques profondes en termes extrêmement accessibles. Il était légèrement chauve et portait de grandes lunettes, rondes et teintées. À cause d'un tic, il clignait fréquemment de l'œil droit. Mais il possédait une étonnante, et même une légendaire capacité de concentration, en particulier lorsqu'il suivait un fil complexe de pensées et qu'il cherchait à approfondir un point. Il parvenait à oublier totalement ce qui se passait autour de lui lorsqu'il était dans cet état. Le fait que la philosophie de la vacuité ait été une de ses grandes spécialités rendait les heures d'échanges avec Gen Nyima d'autant plus gratifiantes.

L'un des aspects les plus extraordinaires et passionnants de la physique moderne est la manière dont le monde microscopique de la mécanique quantique défie notre compréhension fondée sur le sens commun. La lumière y est vue comme une particule ou comme une onde ; selon le principe d'incertitude, nous ne pouvons jamais savoir en même temps ce qu'un électron fait et où il est ; existe par ailleurs le principe de superposition quantique... Toutes ces notions suggèrent une manière de comprendre le monde entièrement différente de celle de la physique classique, dans laquelle les objets se comportent d'une façon déterministe et prévisible. Ainsi, dans l'exemple célèbre du chat de Schrödinger, où le chat est placé à l'intérieur d'une boîte contenant une source radioactive qui a cinquante pour cent de chances de libérer un poison mortel, nous sommes bien obligés d'accepter que, jusqu'à ce que l'on ouvre le couvercle, ce chat est à la fois mort et vivant, ce qui semble défier la loi de la non-contradiction.

Pour un bouddhiste Mahayana familiarisé avec la pensée de Nagarjuna, il existe une résonance indubitable entre la notion de vacuité et la nouvelle physique. Si, au niveau du quantum, la matière s'est révélée moins solide et moins définissable qu'elle n'apparaît, la science se rapproche alors, me semble-t-il, des idées contemplatives bouddhiques concernant la vacuité et l'interdépendance. Un jour, lors d'une conférence à New Delhi, j'ai entendu Raja Ramanan, le physicien connu comme le Sakharov indien, établir des parallèles entre la philosophie de la vacuité et la mécanique quantique. Après m'être entretenu avec de nombreux amis scientifiques durant des années, j'ai acquis la conviction que les grandes découvertes en physique, en remontant même jusqu'à Copernic, ont engendré l'idée que la réalité n'est pas telle qu'elle nous apparaît. Lorsqu'on examine sérieusement le monde à la loupe – que ce soit par la méthode et l'expérimentation scientifiques ou grâce à la logique bouddhique de la vacuité ou encore par la méthode contemplative de l'analyse méditative –, on découvre que les choses sont plus subtiles que ne le suggèrent les hypothèses de notre vision ordinaire du monde, fondée sur le sens commun. Et même, dans certains cas, elles les contredisent.

On peut se demander, hormis le fait d'avoir une idée fausse de la réalité, quel mal il y a à croire en l'existence indépendante, intrinsèque des choses. Pour Nagarjuna, cette croyance a des conséquences négatives sérieuses. Nagarjuna affirme que la croyance en une existence intrinsèque crée la base d'un dys-fonctionnement qui se perpétue dans notre relation au monde et aux autres êtres sensibles. En faisant de l'attrait une propriété intrinsèque de certains objets et de certains événements, nous avons pour eux une réaction d'attachement illusoire. Pendant ce temps, vis-à-vis d'autres objets, auxquels nous attribuons le manque d'attraits comme propriété intrinsèque, nous avons une réaction d'aversion illusoire. En d'autres termes, selon Nagarjuna, s'attacher à l'existence indépendante des choses conduit à l'affliction, qui, à son tour, entraîne une chaîne d'actions-réactions destructrices qui provoque la souffrance. En der-nière analyse, pour Nagarjuna, la théorie de la vacuité n'est pas qu'une simple question de compréhension conceptuelle de la réalité. Elle a des implications pro-fondes sur les plans psychique et éthique.

J'ai un jour posé à mon ami le physicien David Böhm cette question : « Dans la perspective de la science moderne, hormis la question de la présenta-tion erronée des choses, quel mal y a-t-il à croire en leur existence indépendante ? » Sa réponse fut élo-quente. Il dit que l'un des facteurs essentiels de l'apparition des diverses idéologies qui tendent à diviser l'humanité, telles que le racisme, le nationalisme extrême et la lutte des classes marxiste, est la tendance à percevoir les choses comme fondamentalement divisées et déconnectées. De cette conception erronée découle la croyance que chacune de ces divisions est essentiellement indépendante et existante en soi. La réponse de Böhm, fondée sur ses travaux en physique quantique, fait écho à la préoccupation d'ordre éthique des écrits de Nagarjuna, vieux de deux mille ans. En admettant que la science ne traite pas, au sens strict, de questions d'éthique et de jugements de valeur, il n'en demeure pas moins qu'étant une entreprise humaine, la science est liée à la question essentielle du bien-être de l'humanité. Donc, dans un sens, la réponse de Böhm n'a rien de surprenant. Je souhaiterais qu'il y ait plus de scientifiques dotés de cette compréhension de l'interdépendance de la science, de ses cadres conceptuels et de l'humanité.

D'après ce que je sais, la science moderne a traversé une crise au début du XXe siècle. Le grand édifice de la physique classique bâti par Isaac Newton, James Maxwell et tant d'autres, qui avait fourni ces explications apparemment efficaces aux réalités du monde perçues et qui cadrait si bien avec le sens commun, a été ébranlé par la découverte de la relativité et l'étrange comportement de la matière au niveau subatomique qu'étudie la mécanique quantique. Comme me l'expliquait un jour Carl von Weizsäcker, la physique classique a accepté une vision du monde mécaniste. Certaines lois physiques universelles, dont la gravité et les lois de la mécanique, y ont donné un modèle efficace des actions naturelles. Il comportait quatre réalités objectives – les corps, les forces, l'espace et le temps – et établissait une différence claire entre l'objet à connaître et le sujet connaissant. Mais avec la relativité et la mécanique quantique, toujours selon von Weizsäcker, nous devons abolir, par principe, la possibilité de séparer sujet et objet. Et, avec elle, abandonner toutes nos certitudes sur le caractère objectivable de nos données empiriques. Pourtant – et von Weizsäcker insistait sur ce point –, les seuls termes dont nous disposions pour décrire la mécanique quantique et les expériences qui vérifient la nouvelle image qu'elle dévoile de la réalité sont ceux de la physique classique réfutée par la théorie quantique. En dépit de ces problèmes, soutenait von Weizsäcker, nous sommes constamment en quête de cohérence dans la nature et nous voulons comprendre la réalité, la science et savoir de la façon la plus exacte possible quelle est la place de l'humanité, en se fondant sur les dernières connaissances scientifiques.

À la lumière de ces découvertes scientifiques, je pense que le bouddhisme doit accepter d'adapter la physique rudimentaire de ses théories atomiques anciennes, même si elles font traditionnellement autorité et depuis longtemps. Par exemple, selon la théorie bouddhique ancienne des atomes, qui n'a fait l'objet d'aucune révision importante, la matière est constituée d'un ensemble de huit substances appelées atomiques : les quatre éléments – terre, eau, feu et air ; et les quatre substances dites dérivées – forme, odorat, goût et toucher. L'élément terre soutient, l'eau amalgame, le feu amplifie et l'air permet le mouvement. Un « atome » est vu comme un composite de ces huit substances et c'est l'agrégation de ces « atomes » composites qui confère leur existence aux objets du monde macroscopique. Selon l'une des plus anciennes écoles bouddhiques, l'école Vaibhashika, ces substances atomiques individuelles sont les plus petits constituants de la matière, indivisibles et par conséquent sans parties. Les théoriciens Vaibhashika affirment que, lorsque ces « atomes » s'agrègent pour former des objets, les atomes individuels ne se touchent pas. Le soutien de l'élément air et d'autres forces dans la nature aident les éléments constitutifs à s'amalgamer pour former un système plutôt que de s'effondrer sur eux-mêmes ou de se dilater à l'infini.

Inutile de dire que ces théories ont dû se développer grâce à une confrontation critique avec d'autres écoles philosophiques indiennes, en particulier les systèmes logiques des écoles Nyana et Vaisheshika. Si l'on examine les œuvres philosophiques indiennes depuis l'Antiquité, on se rend compte que prévalait alors une culture extrêmement stimulante de débats, dialogues et discussions entre les adeptes des différentes écoles et différents systèmes. Ces écoles classiques indiennes – bouddhisme, Nyana, Vaisheshika, Mimamsa, Samkhya et Aidvaidavedanta – partageaient les mêmes intérêts et les mêmes méthodes d'analyse de base. Ce type de débat intense entre écoles de pensée a été un facteur primordial dans le développement du savoir et le raffinement des idées philosophiques, depuis la première époque du bouddhisme indien jusqu'au Tibet médiéval et moderne.

Les plus anciennes sources connues de la théorie bouddhique Vaibhashika sur l'atome sont sans doute

L'Essence du plus haut savoir de Dharmashri et le célèbre *Grand Traité sur l'instanciation*. Les savants modernes font généralement remonter le premier ouvrage à une période qui va du IIe siècle av. J.-C. au Ier siècle apr. J.-C. Bien qu'il n'ait jamais été traduit en tibétain, j'ai entendu dire qu'une version chinoise en a été réalisée au IIIe siècle. Le texte de Dharmashri est un essai élaboré de systématiser les principaux points de vue de la philosophie bouddhique de l'époque précédente. Nombre de ses idées de base devaient donc être connues depuis un certain temps avant la rédaction de l'ouvrage. Par contre, le *Grand Traité* est un texte composite remontant à la période comprise entre le Ier et le IIIe siècle. Le *Grand Traité* dit quels principes d'une école philosophique bouddhique spécifique seront considérés comme orthodoxes et leur procure un socle philosophique rationnel pour répondre aux diverses objections soulevées. Bien que les arguments du *Grand Traité* soient connus du bouddhisme tibétain, l'ouvrage lui-même n'a, en fait, jamais été traduit dans sa totalité en tibétain.

En partant de ces deux textes, en particulier du dernier, Vasubandhu, l'un des grands penseurs de la philosophie bouddhique indienne, a écrit son *Trésor de la connaissance supérieure* (*Abhidharmakosha*) au IVe siècle. Celui-ci résume les points essentiels du *Grand Traité* en les soumettant à une analyse plus poussée. Cette œuvre est devenue un classique de la philosophie et de la psychologie bouddhiques des premiers temps au Tibet ; quand j'étais jeune moine, il m'a fallu apprendre par cœur le texte fondamental du *Trésor* de Vasubandhu.

À propos de l'agrégation et de la relation des atomes à leurs substances constitutives, le bouddhisme ancien a émis toutes sortes de théories spéculatives. Il est intéressant de noter que, dans le *Trésor de la connaissance supérieure*, figure même une discussion au sujet de la taille physique des différents « atomes ». Il y est dit que la plus petite particule indivisible est environ le $1/2\,400^e$ de la taille d'un « atome » de lapin, quelle qu'en soit la signification. J'ignore comment Vasubandhu est parvenu à ce calcul !

Tout en acceptant la théorie atomique fondamentale, d'autres écoles bouddhiques ont mis en doute la notion d'atomes indivisibles. Certains ont également mis en doute le fait que les quatre substances dérivées de la forme, l'odeur, le goût et le toucher soient les constituants de base de la matière. Par exemple, Vasubandhu lui-même est célèbre pour sa critique de la notion d'atomes objectivement réels et indivisibles. Si des atomes indépendants, indivisibles existent, affirmait-il, il est alors impossible de rendre compte de la formation des objets du monde quotidien. Pour que ces objets apparaissent, il doit y avoir un moyen d'expliquer comment des atomes simples se rassemblent pour former des systèmes composites complexes.

Si cette agrégation se produit, comme il se doit, imaginez alors un atome unique entouré de six atomes différents, dont un à chacun des quatre points cardinaux, un au-dessus et un au-dessous. Nous pouvons donc nous demander : « Est-ce que c'est la même partie de l'atome central qui touche l'atome situé à l'est et celui situé au nord ? » Sinon, l'atome central devrait posséder plus d'une partie et par conséquent être divisible, du moins conceptuellement. L'atome central a une partie qui touche l'atome situé à l'est mais ne touche pas celui situé au nord. Si, en revanche, cette partie est ne touche pas l'atome situé au nord, rien n'empêche qu'elle touche les atomes situés dans toutes les autres directions également. Dans ce cas, Vasubandhu soutient que les dispositions dans l'espace de l'ensemble des sept atomes – celui au centre et les six qui l'entourent – seront les mêmes et tous s'effondreront pour fusionner en un seul atome. En conséquence de cette expérience de pensée, affirme Vasubandhu, il est impossible d'expliquer des objets du monde macroscopique en termes d'agrégation de matière simple, telle que des atomes indivisibles.

Personnellement, je n'ai jamais saisi cette notion selon laquelle des qualités comme l'odorat, le goût et le toucher sont des constituants de base d'objets matériels. Je vois comment on pourrait élaborer une théorie atomique cohérente de la matière sur la base des quatre éléments comme constituants. En tout cas, j'ai le sentiment que cet aspect de la pensée bouddhique, essentiellement une forme de physique spéculative, rudimentaire, doit maintenant être modifié à la lumière de l'interprétation détaillée et vérifiée expérimentalement de la physique moderne qui exprime les constituants de base de la matière en termes de particules telles que les électrons gravitant autour d'un noyau de protons et de neutrons. Lorsque l'on écoute des descriptions de particules subatomiques, comme les quarks et les leptons, en physique moderne, il est évident que les théories atomiques bouddhiques

anciennes et leur conception des plus petites particules indivisibles de la matière sont, dans le meilleur
des cas, des modèles rudimentaires. Cependant, l'idée
de base des théoriciens bouddhistes selon laquelle
même les constituants les plus subtils de la matière
doivent être compris en termes de composites semble
avoir été sur la bonne piste.

Une des principales motivations qui sous-tend l'investigation scientifique et philosophique portant sur
les constituants de base de la matière est de découvrir l'unité élémentaire irréductible de la matière.
Cela est vrai non seulement pour la philosophie
indienne ancienne et la physique moderne mais également pour des scientifiques grecs anciens, tels que
les « atomistes ». Il s'agit effectivement d'une quête
de la nature ultime de la réalité, quelle que soit la
manière dont nous la définissons. La pensée bouddhique affirme, en s'appuyant sur des bases logiques,
que cette recherche est mal orientée. À un certain
stade, la science pensait qu'en découvrant l'atome
elle avait trouvé le constituant ultime de la matière,
mais la physique expérimentale du XXᵉ siècle a subdi-
visé l'atome en particules encore plus subtiles. Même
si, selon la mécanique quantique (du moins l'un des
ses points de vue), nous ne pourrons jamais trouver
une particule irréductible objectivement réelle, de
nombreux scientifiques vivent encore dans l'espoir de
cette découverte.

L'été 1998, alors que je visitais le laboratoire du
physicien autrichien Anton Zeilinger à l'université
d'Innsbruck, ce dernier me montra un instrument qui
permettait de voir un atome unique ionisé. J'eus beau
faire, je ne réussis cependant pas du tout à le voir.

Sans doute mon karma n'était-il pas encore mûr pour apprécier ce spectacle. J'avais rencontré Anton pour la première fois en 1997, lors de sa participation à une conférence Mind and Life à Dharamsala. Par certains côtés, il est l'opposé de David Böhm – grand, portant barbe et lunettes, doté d'un formidable sens de l'humour et porté à rire à gorge déployée. Physicien expérimental, il est remarquablement ouvert à toute reformulation possible des questions théoriques à la lumière des derniers résultats expérimentaux. Son intérêt pour le dialogue avec le bouddhisme porte sur la comparaison des théories de la connaissance – entre physique quantique et bouddhisme – car, selon lui, toutes deux rejettent la notion de réalité objective indépendante.

C'est à cette même époque que j'ai également rencontré le physicien américain Arthur Zajonc. Arthur, qui a la voix douce et le regard perçant, en particulier lorsqu'il approfondit un point, est un professeur doué qui sait rendre clairs même les sujets les plus compliqués. En tant que modérateur, Arthur résumait et récapitulait les arguments d'une manière extrêmement succincte, ce qui m'aidait beaucoup.

Plusieurs années auparavant, j'avais eu la chance de visiter l'institut Bohr à Copenhague pour participer à un dialogue informel. Quelques jours avant cette visite, durant un bref séjour à Londres, j'avais reçu à déjeuner David Böhm et son épouse dans la suite de mon hôtel. Comme je lui avais dit que j'allais assister à un dialogue sur la physique et la philosophie bouddhique à l'institut Bohr, Böhm eut la gentillesse de m'apporter le résumé de deux pages rédigé par Niels Bohr en personne où il exprimait ses vues philosophiques sur la nature de la réalité. C'était fascinant d'entendre le compte rendu de Böhm sur le modèle planétaire de l'atome de Bohr et le modèle de l'atome décrit par Rutherford comme un noyau avec des électrons en orbite, tous deux formulés en réaction au modèle dit *plum-pudding*.

Le modèle *plum-pudding* était apparu à la fin du XIXe siècle, après la découverte par J. J. Thomson de l'électron chargé négativement ; il supposait que la charge positive équilibrant la charge négative de l'électron s'étalait dans tout l'atome comme si ce dernier avait été un pudding dans lequel les électrons auraient joué le rôle de prunes. Au début du XXe siècle, Ernest Rutherford découvrit que, lorsque des particules alpha chargées positivement étaient projetées sur un film d'or, la plupart le traversaient mais certaines rebondissaient. D'où sa conclusion, correcte, que la charge positive des atomes d'or ne pouvait s'étaler dans les atomes comme dans un pudding mais devait se concentrer en leur centre : lorsqu'une particule alpha percutait le centre d'un atome d'or, la charge positive était suffisante pour la repousser. À partir de là, Rutherford formula le modèle atomique analogue au « système solaire », dans lequel l'atome est un noyau chargé positivement autour duquel tournent des électrons négatifs. Niels Bohr affina plus tard le modèle de Rutherford et son modèle planétaire de l'atome fut à bien des égards l'ancêtre de la mécanique quantique.

Au cours de notre conversation, Böhm me donna également un aperçu du débat qui se poursuivit durant de longues années entre Bohr et Einstein sur l'interprétation de la physique quantique. L'essence de cette controverse réside dans la réfutation par Einstein de la validité du principe d'incertitude ; la question de savoir si la réalité, au niveau fondamental, est indéterminée, imprévisible et probabiliste est au cœur du débat. Einstein était profondément opposé à cette possibilité, comme le reflète sa fameuse exclamation : « Dieu ne joue pas aux dés ! » Tout cela me rappela l'histoire de ma propre tradition bouddhique, dans laquelle le débat a joué un rôle essentiel dans la formation et le perfectionnement de nombreuses idées philosophiques.

Contrairement aux théoriciens bouddhistes anciens, les physiciens modernes disposent d'instruments scientifiques tels que les télescopes géants, comme le télescope Hubble ou les microscopes électroniques leur permettant d'optimiser formidablement leurs capacités visuelles. Il en résulte une connaissance empirique des objets matériels qui surpasse de loin même l'imagination des anciens temps. Au vu de cette capacité, j'ai plusieurs fois vivement recommandé d'inclure la physique de base dans les études des collèges monastiques tibétains. J'ai expliqué que nous n'introduirions pas, en fait, une nouvelle matière ; il s'agirait plutôt de la mise à jour d'une partie intrinsèque du programme d'études. Je suis heureux que les universités monastiques organisent maintenant des ateliers réguliers de physique moderne. Ces ateliers sont animés par des professeurs de physique et certains diplômés des universités occidentales. J'espère que cette initiative aboutira finalement à l'intégration complète de la physique moderne dans le programme officiel des études philosophiques au sein des monastères tibétains.

J'avais entendu parler depuis longtemps de la théorie de la relativité restreinte d'Einstein, mais c'est encore une fois David Böhm, le premier, qui me l'expliqua, ainsi que certaines de ses implications philosophiques. Comme je n'ai pas de formation mathématique, m'enseigner la physique moderne, en particulier des sujets aussi énigmatiques que la théorie de la relativité, n'était pas tâche aisée. Quand je pense à la patience de Böhm, à sa voix douce, à ses manières calmes et au soin avec lequel il s'assurait que je suivais son explication, il me manque vraiment.

Comme s'en rend compte tout novice qui a tenté de comprendre cette théorie, la saisir, même de façon élémentaire, demande une volonté qui défie le sens commun. Einstein a avancé deux postulats : la constance de la vitesse de la lumière et son principe de relativité, selon lequel toutes les lois de la physique doivent être exactement les mêmes pour tous les observateurs en mouvement relatif. Avec ces deux prémisses, Einstein a révolutionné notre compréhension scientifique de l'espace et du temps.

Sa théorie de la relativité nous a donné l'équation célèbre de la matière et de l'énergie, $E = mc^2$ – et, je l'avoue, la seule équation scientifique que je connaisse (aujourd'hui on la voit même imprimée sur des tee-shirts) – ainsi qu'une série d'expériences de pensée stimulantes et amusantes. Nombre d'entre elles, comme le paradoxe des jumeaux, la dilatation du temps ou la contraction des longueurs à vitesse élevée, ont maintenant été confirmées de manière expérimentale. Dans le paradoxe des jumeaux, si l'un des deux voyageait à bord d'un engin spatial volant à une vitesse proche de celle de la lumière vers une étoile située à une distance, disons, de dix années-lumière, puis retournait sur Terre, il retrouverait son frère jumeau âgé de vingt ans de plus que lui. Cela me rappelle l'histoire d'Asanga emporté dans le royaume céleste de Maitreya, où il reçut les cinq traités de Maitreya, un ensemble essentiel de textes Mahayana, et tout cela en moins de temps qu'il ne faut pour boire un thé. Mais, lorsqu'il retourna sur Terre, cinquante années s'étaient écoulées.

Pour apprécier complètement la nature du paradoxe des jumeaux, il faut comprendre un ensemble de calculs complexes qui, je le crains, me dépassent. Selon ce que j'ai compris, l'implication la plus importante de la théorie de la relativité d'Einstein est que les notions d'espace, de temps et de masse ne peuvent être considérées comme des absolus, existant en elles-mêmes comme des substances ou des entités permanentes et immuables. L'espace n'est pas un domaine indépendant, en trois dimensions, et le temps n'est pas une entité séparée ; au contraire, ils coexistent en tant que continuum à quatre dimensions d'« espace-temps ». En un mot, la théorie spéciale de la relativité d'Einstein implique ce qui suit : alors que la vitesse de la lumière est invariable, il n'existe pas de cadre de référence absolu, privilégié, et tout, y compris l'espace et le temps, est en définitive relatif. Il s'agit d'une révélation véritablement remarquable.

Dans le monde philosophique bouddhique, le concept de relativité du temps n'est pas inconnu. Avant le IIe siècle, l'école Sautrantika s'est opposée à la notion de temps comme absolu. Divisant le processus temporel en passé, présent et futur, les Sautrantika ont démontré leur interdépendance et affirmé qu'une notion de passé, de présent et de futur réels n'avait pas de sens. Selon eux, le temps n'est pas conçu comme une entité intrinsèquement réelle existant indépendamment des phénomènes temporels mais doit être entendu comme un ensemble de relations entre des phénomènes temporels. En dehors des phénomènes temporels à partir desquels nous élaborons le concept de temps, il n'existe aucun temps réel qui serait en quelque sorte le grand vaisseau où choses et événements prennent place, un absolu qui posséderait une existence propre.

Ces arguments en faveur de la relativité du temps, ultérieurement développés par Nagarjuna, sont essentiellement philosophiques. Mais le fait est que le temps, dans la tradition philosophique bouddhique, est perçu comme relatif depuis près de deux mille ans. J'ai entendu dire que, selon certains scientifiques, c'est l'espace-temps en quatre dimensions d'Einstein qu'on peut prendre pour le grand vaisseau possédant une existence en soi et dans lequel les événements prennent place. En tout cas, pour un penseur bouddhiste familiarisé avec les arguments de Nagarjuna, la démonstration de la relativité du temps d'Einstein, en particulier grâce à ses célèbres expériences de pensée, est d'une grande aide pour approfondir la compréhension de la nature relative du temps.

Je dois avouer que je n'ai pas une très bonne connaissance de la théorie quantique – malgré tous les efforts que j'ai déployés ! J'ai appris que l'un des plus grands théoriciens de la physique quantique, Richard Feynman, avait écrit : « Je pense pouvoir affirmer avec certitude que personne ne comprend la physique quantique », alors je me sens au moins en bonne compagnie. Mais même pour quelqu'un comme moi, qui ne suis pas capable de suivre les détails mathématiques complexes de la théorie – en fait, les mathématiques sont un domaine de la science moderne avec lequel je n'ai apparemment pas de connexion karmique –, il est évident que nous ne pouvons parler de particules subatomiques comme d'entités déterminées, indépendantes ou qui s'excluent mutuellement. Les constituants élémentaires de la matière et les photons (c'est-à-dire les substances de base, respectivement, de la matière et de la lumière) sont des particules, ou des ondes, ou bien les deux. (En fait, George Thomson, l'homme qui reçut le prix Nobel pour avoir mis en évidence que l'électron était une onde, était le fils de J. J. Thomson, l'homme qui obtint le même prix pour avoir mis en évidence que l'électron était une particule.) Que l'on perçoive les électrons comme des particules ou des ondes, m'a-t-on indiqué, dépend de l'action de l'observateur et de son choix d'instruments ou de mesures.

J'avais entendu parler depuis très longtemps de cette nature paradoxale de la lumière, mais c'est seulement en 1997 – lorsque le physicien expérimental Anton Zeilinger me l'a expliquée à l'aide d'illustrations détaillées – que j'ai eu le sentiment d'avoir finalement réussi à saisir la question. Anton me montra comment l'expérience elle-même déterminait si un électron se comportait comme une particule ou comme une onde. Dans la fameuse expérience de la double fente de Young, des électrons sont projetés un par un à travers une barrière d'interférence à deux fentes et sont enregistrés derrière, sur un support tel qu'une plaque photographique. Si une seule fente est ouverte, chaque électron laisse sur la plaque photographique une empreinte de forme particulaire. Mais si les deux fentes sont ouvertes, lorsqu'un grand nombre d'électrons sont projetés, la trace indique qu'ils sont passés par les deux fentes en même temps, en laissant un motif en forme d'onde.

Anton avait apporté un appareil qui pouvait reproduire cette expérience à une échelle plus petite, et tous les participants se sont bien amusés. Anton aime rester très près des aspects empiriques de la mécanique quantique et fonde toute son interprétation sur ce que nous pouvons apprendre directement à partir des expériences. Cette démarche était tout à fait différente de celle de David Böhm, qui était principalement intéressé par les implications théoriques et philosophiques de la mécanique quantique. J'ai appris plus tard qu'Anton était et demeure un fervent défenseur de ce que l'on appelle l'« interprétation de Copenhague », tandis que David Böhm était un de ceux qui la critiquaient le plus.

Je dois admettre que je continue à ne pas être tout à fait sûr de ce que sont les implications conceptuelles et philosophiques complètes de ce paradoxe de la dualité onde-particule. J'accepte sans difficulté l'implication philosophique de base, à savoir qu'au niveau subatomique la notion même de réalité ne peut être séparée du système de mesures utilisé par un observateur ; et qu'il est par conséquent impossible de dire qu'elle est complètement objective. Cependant, ce paradoxe semble également suggérer – à moins d'accorder aux électrons une forme d'intelligence – qu'au niveau subatomique s'écroulent apparemment deux des plus importants principes de logique, celui de non-contradiction et du tiers exclu. Dans une expérience normale, nous pourrions penser que ce qui est une onde ne peut pas être une particule, mais, au niveau quantique, la lumière se comporte des deux manières, ce qui apparaît donc comme une contradiction. De même, dans l'expérience de la double fente de Young, certains des photons semblent passer par les deux fentes en même temps, contredisant ainsi le principe du tiers exclu, selon lequel ils devraient passer soit par une fente, soit par l'autre.

Les implications conceptuelles des résultats de l'expérience de la double fente continuent, je pense, à susciter un débat considérable. Le célèbre principe d'incertitude de Heisenberg énonce que plus la mesure de la position d'un électron est précise, plus la connaissance de sa vitesse est incertaine, et plus la mesure de sa vitesse est précise, plus sa position devient incertaine. On sait à n'importe quel moment où se trouve un électron mais pas ce qu'il est en train de faire, ou bien on sait ce qu'il est en train de faire mais pas où il se trouve. Cela indique, là encore, que l'observateur est fondamental : en choisissant de connaître la vitesse d'un électron, nous excluons de connaître sa position ; en choisissant de connaître sa position, nous excluons de connaître sa vitesse. L'observateur est effectivement un participant dans la réalité observée. Je me rends compte que cette question du rôle de l'observateur est l'une des plus épineuses en mécanique quantique. Ainsi, lors de la conférence Mind and Life de 1997, les divers participants scientifiques ont présenté des points de vue plus que nuancés. Si certains disaient que le rôle de l'observateur était limité au choix des appareils de mesure, d'autres accordaient une plus grande importance au rôle de l'observateur comme élément constitutif de la réalité observée.

La question a longtemps été un thème central de discussion dans la pensée bouddhique. À un extrême, on trouve les « réalistes » bouddhistes qui croient que le monde matériel est composé de particules individuelles ayant une réalité objective indépendante de l'esprit. À l'autre extrême, il y a les « idéalistes », l'école appelée Esprit-seulement, qui rejette tout degré de réalité objective dans le monde extérieur. Ils perçoivent le monde matériel extérieur, en dernière analyse, comme une extension de l'esprit qui observe. Il existe, cependant, un troisième point de vue, celui de l'école Prasangika, tenu en très haute estime par la tradition tibétaine. Selon celui-ci, bien que la réalité du monde extérieur ne soit pas niée, elle est considérée comme relative. Elle est contingente du langage, des conventions sociales et des concepts communs. La notion d'une réalité prédonnée, indépendante de l'observateur n'est pas soutenable. Comme dans la nouvelle physique, la matière ne peut être objectivement perçue ni décrite en dehors de l'observateur – la matière et l'esprit sont codépendants.

Cette reconnaissance de la nature fondamentalement dépendante de la réalité – appelée « coproduction conditionnée » dans le bouddhisme – se situe au cœur même de l'interprétation bouddhique du monde et de la nature de notre existence humaine. En bref, le principe de coproduction conditionnée est compris des trois manières suivantes. D'abord, l'ensemble des choses et des événements conditionnés dans le monde apparaissent uniquement comme résultat de l'interaction des causes et des conditions. Ils ne surgissent pas simplement de nulle part, totalement formés. Deuxièmement, il y a une dépendance mutuelle entre les parties et le tout ; sans les parties, il ne peut y avoir de tout, sans un tout, il est absurde de parler de parties. Cette interdépendance des parties et du tout s'applique aussi bien en termes d'espace que de temps. Troisièmement, tout ce qui existe et possède une identité ne le fait que dans le cadre du réseau entier constitué de tout ce qui a une relation possible ou potentielle avec lui. Aucun phénomène existant n'a une identité indépendante ou intrinsèque.

Et le monde est constitué d'un réseau d'interrelations complexes. Nous ne pouvons pas parler de la réalité d'une entité discrète en dehors du contexte de son ensemble d'interrelations avec son environnement et d'autres phénomènes, parmi lesquels le langage, les concepts et d'autres conventions. Ainsi, il n'existe pas de sujets sans les objets par lesquels ils sont définis, il n'existe pas d'objets sans sujets pour les appréhender, il n'existe pas d'agents sans actions. Il n'existe pas de chaise sans pieds, siège, dos, bois, clous, plancher sur lequel elle est posée, murs qui définissent la pièce dans laquelle elle se trouve, personnes qui l'ont construite et individus qui sont convenus de l'appeler chaise et l'ont reconnue comme un objet sur lequel on s'assied. L'existence des choses et des événements est non seulement complètement contingente, mais, selon ce principe, leurs identités mêmes sont entièrement dépendantes d'autres choses et événements.

En physique, la nature profondément interdépendante de la réalité a été mise en évidence par le fameux paradoxe EPR – nommé d'après ses créateurs Albert Einstein, Boris Podolsky et Nathan Rosen. Il a été formulé à l'origine comme un défi à la mécanique quantique. Mettons qu'une paire de particules soit créée puis se sépare, les particules s'éloignant l'une de l'autre dans des directions opposées – peut-être vers des lieux distants, par exemple, Dharamsala où je vis et, disons, New York. L'une des propriétés de cette paire de particules est que leur spin doit se trouver dans des directions opposées – de sorte que l'une est mesurée avec un spin vers le haut et l'autre vers le bas. Selon la mécanique quantique, la corrélation des mesures (par exemple, quand l'une est vers le haut, et l'autre vers le bas) doit exister même si les attributs individuels ne sont pas déterminés avant que les expérimentateurs ne mesurent l'une des particules, disons à New York. À ce moment-là, celle qui est à New York acquerra une valeur – disons, vers le haut – auquel cas l'autre particule devra simultanément être vers le bas. Ces déterminations haut et bas sont instantanées, même pour la particule placée à Dharamsala, qui n'a, elle-même, pas été mesurée. En dépit de leur séparation, les deux particules apparaissent comme une entité intriquée. Il semble y avoir, selon la mécanique quantique, une interconnexion étonnante et profonde au cœur de la physique.

Lors d'une discussion publique en Allemagne, j'ai attiré l'attention sur la tendance croissante chez les scientifiques sérieux à prendre en compte les insights des traditions contemplatives dans le monde. J'ai parlé des points de convergence entre ma propre tradition bouddhique et la science moderne – en particulier, les arguments bouddhiques en faveur de la relativité du temps et du rejet de toute notion d'essentialisme. J'ai alors remarqué la présence de von Weizsäcker dans le public, et, lorsque j'ai décrit la dette que j'avais envers lui pour les quelques connaissances en physique quantique que je possédais, il a aimablement fait remarquer que, si son propre professeur Werner Heisenberg avait été présent, il aurait été enthousiasmé d'entendre parler des parallèles frappants entre la philosophie bouddhique et ses insights scientifiques à lui.

Une autre série de questions importantes en mécanique quantique concerne le problème de la mesure. Je comprends qu'en fait un domaine de recherche entier est consacré à ce sujet. De nombreux scientifiques disent que l'acte de mesurer provoque l'« effondrement » de la fonction de l'onde ou de celle de la particule, selon le système de mesures utilisé dans l'expérience ; c'est seulement en le mesurant que le potentiel devient réel. Et, pourtant, nous vivons dans un monde d'objets quotidiens. La question est donc : « Comment, du point de vue de la physique, réconcilier nos notions de bon sens sur le monde des objets quotidiens et de leurs propriétés d'un côté, et le monde bizarre de la mécanique quantique de l'autre ? Peut-on vraiment réconcilier ces deux perspectives ? Sommes-nous condamnés à vivre avec ce qui apparaît comme une vision schizophrénique du monde ? »

Lors d'une retraite de deux jours consacrée à des questions épistémologiques portant sur les fondements de la mécanique quantique et la philosophie bouddhique de la Voie du milieu, à Innsbruck, où Anton Zeilinger, Arthur Zajonc et moi-même étions réunis pour un dialogue, Anton me dit qu'un de ses collègues très connu avait remarqué que la plupart des physiciens du domaine quantique avaient une relation schizophrénique à leur domaine. Lorsqu'ils sont dans leur laboratoire et manipulent des objets, ils sont réalistes. Ils parlent de photons et d'électrons qui vont de-ci, de-là. Cependant, dès que vous basculez dans une discussion philosophique et les questionnez sur les fondements de la mécanique quantique, la plupart vous diront que rien n'existe réellement sans l'appareil qui le définit.

Des problèmes quelque peu parallèles ont émergé dans la philosophie bouddhique, liés à la disparité entre notre vision du monde fondée sur le bon sens et la perspective suggérée par la philosophie de la vacuité de Nagarjuna. Nagarjuna a fait appel à la notion des deux vérités, la vérité « conventionnelle » et la vérité « ultime ». Elles sont relatives respectivement au monde de l'expérience quotidienne et aux choses et événements dans leur mode d'être ultime, c'est-à-dire au niveau du vide. Au niveau conventionnel, nous pouvons parler d'un monde pluriel de choses et d'événements possédant des identités distinctes et une causalité. C'est le domaine où nous pouvons également nous attendre à ce que la loi de cause à effet et les principes de la logique – identité, non-contradiction, tiers exclu – ne soient pas violés. Ce monde de l'expérience empirique n'est pas une illusion, pas plus qu'il n'est irréel. Il est réel dans le sens où nous en faisons l'expérience. Un grain d'orge produit une pousse d'orge, qui donne finalement une récolte d'orge. Absorber un poison entraîne la mort et, de même, prendre un remède soigne une maladie. Cependant, du point de vue de la vérité ultime, les choses et les événements ne possèdent pas de réalités discrètes, indépendantes. Leur statut ontologique ultime est « vide » en ce que rien ne possède aucune sorte d'essence ou d'être intrinsèque.

J'imagine que quelque chose de similaire à ce principe des deux vérités pourrait s'appliquer à la physique. Par exemple, nous pouvons dire que le modèle newtonien est excellent pour le monde fondé sur le sens commun tel que nous le connaissons, tandis que la relativité einsteinienne – fondée sur des présuppositions radicalement différentes – représente aussi un excellent modèle dans un domaine différent ou inclus dans le précédent. Le modèle einsteinien décrit des aspects de la réalité où les états de mouvement relatif sont essentiels, mais, dans la plupart des circonstances, ils n'influent pas vraiment sur notre vision fondée sur le bon sens. De même, les modèles de la réalité dans la physique quantique représentent le fonctionnement d'un domaine différent – la réalité essentiellement « inférée » des particules, en particulier dans l'univers microscopique. Chacune de ces images est excellente en soi et par rapport aux objectifs pour lesquels elle a été conçue, mais, si nous pensons que n'importe lequel de ces modèles est constitué par des choses réelles intrinsèquement, nous risquons d'être déçus.

Il me semble ici utile de réfléchir à une distinction essentielle exprimée par Chandrakirti (VIIe siècle) à propos des discours portant sur les vérités conventionnelle et ultime des choses. Chandrakirti affirme que, lorsque l'on formule une interprétation de la réalité, il faut être sensible à l'étendue et aux paramètres du mode d'investigation suivi. Par exemple, il affirme que rejeter l'identité distincte, la causalité et l'origine en ce qui concerne le monde quotidien, comme certains interprètes de la philosophie de la vacuité l'ont suggéré, simplement parce que ces notions sont indéfendables du point de vue de la réalité ultime, constitue une erreur méthodologique.

À un niveau conventionnel, nous observons constamment la cause et l'effet. Lorsque nous essayons de trouver le fautif dans un accident, nous ne scrutons pas la nature plus profonde de la réalité, où une chaîne infinie d'événements rendrait impossible d'imputer la faute à quelqu'un. Lorsque nous attribuons au monde empirique des caractéristiques telles que la cause et l'effet, nous ne travaillons pas sur la base d'une analyse métaphysique qui prouve le statut ontologique ultime des choses et leurs propriétés. Nous le faisons dans les limites de la convention quotidienne, du langage et de la logique. En revanche, affirme Chandrakirti, les postulats métaphysiques des écoles philosophiques peuvent être niés par l'analyse de leur statut ontologique ultime. Cela est dû au fait que ces entités sont énoncées à partir d'une exploration du mode d'être ultime des choses.

Au fond, Nagarjuna et Chandrakirti suggèrent ceci : lorsque nous nous référons au monde empirique de l'expérience, tant que nous n'investissons pas les choses d'une existence indépendante et intrinsèque, les notions de causalité, d'identité et de différence et les principes de logique demeurent soutenables. Cependant, leur validité est limitée au cadre relatif de la vérité conventionnelle. Chercher à fonder des notions telles que l'identité, l'existence et la causalité sur une existence objective et indépendante est transgresser les limites de la logique, du langage et de la convention. Nous n'avons pas besoin de postuler l'existence objective et indépendante des choses du fait que ces choses ont une réalité solide et non arbitraire, un socle pour leurs fonctions quotidiennes mais aussi pour une éthique et une activité spirituelle. Le monde, selon la philosophie de la vacuité, est constitué d'un réseau de réalités interdépendantes et interconnectées dans lequel des causes interdépendantes ont des conséquences interdépendantes selon des lois de causalité interdépendantes. Ce que nous faisons et pensons dans notre propre vie devient alors d'une extrême importance car cela affecte tout ce à quoi nous sommes reliés.

La nature paradoxale de la réalité révélée par la philosophie bouddhique de la vacuité et par la physique moderne représente un profond défi aux limites de la connaissance humaine. L'essence du problème est épistémologique : « Comment conceptualisons-nous et comprenons-nous la réalité de façon cohérente ? » Les philosophes bouddhistes de la vacuité ont développé une interprétation du monde fondée sur le rejet de la tentation profondément ancrée en nous de traiter la réalité comme si elle était composée d'entités objectives intrinsèquement réelles. Mais ils se sont également efforcés de mettre en pratique ces idées dans leur vie quotidienne. La solution bouddhique à cette apparente contradiction épistémologique implique de comprendre la réalité à partir de la théorie des deux vérités. Il faudrait que la physique développe une épistémologie qui aide à combler le fossé apparemment irréductible entre l'image de la réalité dans la physique classique et l'expérience quotidienne et celle de la mécanique quantique. Quant à ce à quoi ressemblerait une application des deux vérités en physique, je n'en ai simplement aucune idée. Le problème philosophique fondamental auquel est confrontée la physique depuis la naissance de la mécanique quantique est de savoir si la notion de vérité elle-même – définie en termes de constituants essentiellement réels de la matière – est soutenable. Ce qu'offre la philosophie bouddhique de la vacuité, c'est un modèle cohérent non essentialiste d'interprétation de la réalité. Seul l'avenir en confirmera l'utilité.

4

Le big bang et l'Univers bouddhique
sans commencement

Qui n'a été impressionné, en scrutant les cieux illuminés d'innombrables étoiles par une nuit claire ? Qui ne s'est demandé s'il existait une intelligence à l'origine du cosmos ? Qui ne s'est posé la question de savoir si notre planète était la seule à être habitée par des créatures vivantes ? Ce sont, à mon sens, des curiosités naturelles dans l'esprit humain. Toute l'histoire humaine montre un véritable élan pour trouver des réponses à ces questions. Un des grands acquis de la science moderne est de nous avoir permis de comprendre, semble-t-il mieux que jamais, les conditions et les processus compliqués aux origines du cosmos.

À l'instar de nombreuses cultures anciennes, le Tibet possède un système astrologique complexe pourvu d'éléments que la culture moderne appellerait astronomie. Ainsi, la plupart des étoiles visibles à l'œil nu ont un nom en tibétain. Depuis longtemps, les Tibétains et les Indiens savent prévoir les éclipses lunaires et solaires avec un haut degré de précision à partir de leurs observations astronomiques. Quand j'étais enfant, au Tibet, je passais de nombreuses nuits à scruter le ciel avec mon télescope, apprenant les formes et les noms des constellations.

Je me rappelle jusqu'à aujourd'hui la joie que j'ai ressentie le jour où j'ai pu visiter un véritable observatoire astronomique à Delhi, au Birla Planetarium. En 1973, lors de ma première visite en Occident, je fus invité par l'université de Cambridge, en Grande-Bretagne, à donner une conférence au Sénat et à la faculté de théologie. Lorsque le vice-chancelier me demanda si je souhaitais faire quelque chose de particulier à Cambridge, je répondis sans hésitation que je souhaitais visiter le fameux radiotélescope du département d'astronomie.

Lors d'une des conférences Mind and Life à Dharamsala, l'astrophysicien Piet Hut, de l'Institute for Advanced Study de Princeton, montra une simulation informatique du déroulement des événements cosmiques lorsque des galaxies entrent en collision. C'était une vision fascinante, un véritable spectacle. Ce type de simulation informatique permet de visualiser la manière dont l'Univers, dans certaines conditions immédiatement après l'explosion cosmique, s'est déployé au fil du temps, d'après les lois fondamentales de la cosmologie. Après la présentation de Piet Hut, nous eûmes une discussion ouverte. Deux autres participants à la réunion, David Finkelstein et George Greenstein, tentèrent de faire la démonstration de l'expansion de l'Univers avec des élastiques passant au travers d'anneaux. Je m'en souviens clairement, car mes deux traducteurs et moi-même eûmes quelque difficulté à visualiser l'expansion cosmique à partir de cette démonstration. Plus tard, tous les scientifiques présents à la réunion unirent leurs efforts pour tenter de simplifier l'explication, ce qui eut bien sûr pour effet d'accroître un peu plus notre confusion.

La cosmologie moderne – comme tant d'autres domaines de la physique – est fondée sur la théorie de la relativité d'Einstein. En cosmologie, les observations astronomiques, associées à la théorie de la relativité générale, selon laquelle la gravitation est analogue à la courbure de l'espace-temps, ont montré que notre Univers n'est ni éternel ni statique. Il évolue et s'étend continuellement. Cette découverte concorde avec les intuitions de base des anciens cosmologistes bouddhistes, pour qui tout système d'Univers particulier traverse des étapes de formation, d'expansion et finalement de destruction. En cosmologie moderne, dans les années 1920, la prédiction théorique (par Alexander Friedmann) et l'observation empirique poussée (par Edwin Hubble) – par exemple, le plus grand décalage vers le rouge de la lumière en provenance d'une galaxie lointaine que celui des galaxies plus proches – ont toutes deux démontré de manière convaincante que l'Univers était courbe et en expansion.

L'hypothèse est que cette expansion a surgi d'une grande explosion cosmique, le fameux big bang, il y a peut-être douze à quinze milliards d'années. Selon la plupart des cosmologistes, quelques secondes après cette explosion, la température a baissé, de sorte que des réactions se sont enclenchées, dont sont sortis des noyaux d'éléments légers. Bien plus tard, à partir de ces éléments, s'est constitué l'ensemble de la matière cosmique. Ainsi, l'espace, le temps, la matière et l'énergie tels que nous en faisons l'expérience ont pris naissance dans cette boule de feu de matière et de rayonnement. Dans les années 1960, un rayonnement électromagnétique fossile a été détecté dans tout l'Univers ; il a été reconnu comme un écho ou les dernières lueurs du big bang. En mesurant précisément son spectre, sa polarisation et sa distribution spatiale, on a apparemment pu confirmer, du moins dans les grandes lignes, les modèles théoriques actuels des origines de l'Univers.

Jusqu'à la détection accidentelle de ce bruit de fond fossile, le débat se poursuivait entre deux grandes écoles de la cosmologie moderne. D'un côté, certains préféraient comprendre l'expansion de l'Univers comme une théorie d'état stable, autrement dit, un Univers qui s'étend à un rythme régulier, avec des lois physiques constantes s'appliquant à toutes les périodes. De l'autre, il y avait ceux qui voyaient l'évolution en termes d'explosion cosmique. J'ai entendu dire que les tenants du modèle d'état stable incluaient certains des grands esprits de la cosmologie moderne, tel Fred Hoyle. En fait, cette théorie fut, pendant un certain temps, la conception scientifique prédominante sur l'origine de notre Univers. Aujourd'hui, la plupart des cosmologistes sont, semble-t-il, convaincus que le bruit de fond fossile a apporté de manière concluante la démonstration de validité de l'hypothèse du big bang. C'est un exemple merveilleux de la manière dont, en science, c'est la preuve empirique qui tranche, en dernière analyse. C'est également vrai, du moins en principe, dans la pensée bouddhique, où il est dit que la personne qui défie l'autorité de la preuve empirique s'exclut par là même de tout engagement critique dans un dialogue, car elle ne mérite plus d'y participer.

Au Tibet existaient des mythes complexes de création, dont l'origine remontait à la religion prébouddhique du bön. Un thème central y est l'ordre issu du chaos, la lumière de l'obscurité, le jour de la nuit, l'existence du néant. Un être transcendant, qui crée tout à partir de la pure potentialité, est à l'œuvre. Dans une autre série de mythes, l'Univers est vu comme un organisme vivant né d'un œuf cosmique. Les riches traditions spirituelles et philosophiques de l'Inde ancienne ont élaboré des conceptions très nombreuses et diverses. Parmi elles, on trouve l'ancienne théorie Samkhya de la matérialité primordiale qui décrit les origines du cosmos et de la vie comme l'expression d'un substrat absolu. Il y a aussi l'atomisme Vaisheshika, qui remplace le substrat unique par une pluralité d'« atomes » indivisibles pour en faire les unités de base de la réalité. On trouve encore les diverses théories des dieux Brahman ou Ishvara comme sources de création divine ; ainsi que celle de l'école matérialiste radicale Charvaka, qui voit l'évolution de l'Univers comme un développement aléatoire et sans but de la matière, et les processus mentaux comme issus de configurations complexes de phénomènes matériels. Cette dernière position n'est pas très différente de la croyance du matérialisme scientifique selon laquelle l'esprit est réductible à la réalité neurologique et biochimique elle-même réductible à la physique. Le bouddhisme, en revanche, fonde son explication de l'évolution du cosmos sur le principe de coproduction conditionnée : l'origine et l'existence de toute chose doivent être comprises en termes de réseau complexe de causes et de conditions interconnectées. Cela s'applique à la conscience aussi bien qu'à la matière.

Selon les anciens textes sacrés, le Bouddha lui-même n'a jamais directement répondu aux questions qui lui étaient posées sur l'origine de l'Univers. Dans une célèbre comparaison, le Bouddha a comparé la personne qui pose ce type de question à un homme blessé par une flèche empoisonnée. Au lieu de laisser le chirurgien extraire la flèche, l'homme blessé tient d'abord à connaître la caste, le nom et le clan de celui qui a tiré la flèche ; il veut savoir s'il est sombre, brun ou clair de peau ; s'il vit dans un village, une ville ou une grande cité ; si son arme est un arc ou une arbalète ; si la corde de l'arc est à base de fibres, de roseau, de chanvre, de nerf ou d'écorce ; si la pointe de la flèche est faite d'une essence naturelle ou d'une essence cultivée, etc. Les interprétations varient sur le sens du refus du Bouddha de répondre à ces questions. Selon certains, la raison en est que ces questions métaphysiques n'ont pas de lien direct avec l'éveil. Selon une autre opinion, exprimée surtout par Nagarjuna, dans la mesure où les questions reposent sur la présupposition d'une réalité intrinsèque des choses, et non sur la coproduction conditionnée, y répondre aurait conduit à ancrer plus profondément la croyance en une existence solide, en soi.

Les questions sont regroupées légèrement différemment selon les traditions bouddhiques. Le canon Pali en compte dix « qui n'ont pas reçu de réponse », tandis que la tradition classique indienne dont les Tibétains ont hérité en compte quatorze, que voici :

1. Le soi et l'Univers sont-ils éternels ?
2. Le soi et l'Univers sont-ils transitoires ?
3. Le soi et l'Univers sont-ils à la fois éternels et transitoires ?
4. Le soi et l'Univers ne sont-ils ni éternels ni transitoires ?
5. Le soi et l'Univers ont-ils un commencement ?
6. Le soi et l'Univers n'ont-ils aucun commencement ?
7. Le soi et l'Univers ont-ils à la fois un commencement et aucun commencement ?
8. Le soi et l'Univers n'ont-ils ni commencement ni absence de commencement ?
9. Le Bienheureux est-il existant après la mort ?
10. Le Bienheureux est-il non existant après la mort ?
11. Le Bienheureux est-il à la fois existant et non existant après la mort ?
12. Le Bienheureux est-il ni existant ni non existant après la mort ?
13. L'esprit est-il la même chose que le corps ?
14. L'esprit et le corps sont-ils deux entités séparées ?

Même si la tradition écrite évoque le refus du Bouddha de s'avancer sur ce plan de discours métaphysique, le bouddhisme, en tant que système philosophique de l'Inde ancienne, a creusé profondément et pendant longtemps ces questions fondamentales et pérennes qui concernent notre existence et notre monde. Ma propre tradition tibétaine a reçu cet héritage philosophique.

Il y avait deux grandes traditions de cosmologie dans le bouddhisme. Le système de l'Abhidharma, partagé par de nombreuses écoles, comme le bouddhisme Theravada, tradition toujours dominante dans des pays comme la Thaïlande, le Sri Lanka, la Birmanie, le Cambodge et le Laos. C'est la tradition

Mahayana qui est parvenue au Tibet, en particulier la version du bouddhisme indien connue sous le nom de tradition Nalanda, mais la psychologie et la cosmologie de l'Abhidharma occupent néanmoins une place importante dans le paysage intellectuel tibétain. L'œuvre principale qui lui est consacrée est le *Trésor de la connaissance supérieure* (*Abhidharmakosa*) de Vasubandhu. La seconde tradition cosmologique présente au Tibet et qui fait partie du bouddhisme Vajrayana est connue sous le nom de Kalachakra, ce qui signifie littéralement « Roue du temps ». Selon la tradition, les enseignements principaux du cycle de Kalachakra ont été délivrés par le Bouddha, mais il est difficile de dater avec précision l'origine des œuvres les plus anciennes connues dans ce système. C'est à la suite de la traduction du sanscrit au tibétain, au XIᵉ siècle, des textes essentiels de Kalachakra, que ce dernier a pris une place importante dans l'héritage bouddhique tibétain.

À l'âge de vingt ans, quand j'ai commencé mon étude systématique des commentaires de la cosmologie de l'Abhidharma, je savais que la Terre était ronde, j'avais vu des photographies de cratères volcaniques à la surface de la Lune dans des magazines et j'avais quelques notions sur la rotation de la Terre et de la Lune autour du Soleil. Aussi dois-je admettre que l'étude de la présentation classique du système cosmologique de l'Abhidharma par Vasubandhu ne suscita pas chez moi un grand intérêt.

Il y est décrit une Terre plate, autour de laquelle tournent des corps célestes tels que le Soleil et la Lune. Notre Terre est l'un des quatre « continents » – en fait, le continent sud – qui s'étend dans les quatre directions cardinales d'une montagne imposante appelée mont Meru, au centre de l'Univers. Chacun de ces continents est flanqué de deux plus petits, et les espaces intermédiaires sont remplis d'immenses océans. Le monde dans son entier est soutenu par un « sol », lui-même suspendu dans l'espace vide. Le pouvoir de l'« air » permet à sa base de flotter dans l'espace vide. Vasubandhu donne une description détaillée des orbites du Soleil et de la Lune, de leur taille et de leur distance à la Terre.

Ces dernières sont en totale contradiction avec les preuves empiriques de l'astronomie moderne. Dans la philosophie bouddhique, il existe un dicton selon lequel soutenir une position qui contredit la raison revient à saper sa propre crédibilité ; contredire les preuves empiriques est une erreur encore plus grande. Il est donc difficile de prendre la cosmologie de l'Abhidharma au pied de la lettre. En fait, même sans avoir recours à la science moderne, il existe un éventail de cosmologies contradictoires si large à l'intérieur de la pensée bouddhique qu'on peut mettre en doute la véracité littérale de toute version particulière. Mon point de vue est que le bouddhisme doit abandonner de nombreux aspects de la cosmologie de l'Abhidharma.

On peut se demander dans quelle mesure Vasubandhu lui-même croyait en la vision du monde de l'Abhidharma. Il présentait systématiquement la gamme des spéculations cosmologiques qui avaient alors cours en Inde. Au sens strict, la description du cosmos et de ses origines – que les textes bouddhiques évoquent comme le « contenant » – vient au second plan après l'exposé de la nature et des origines des êtres sensibles, qui sont les « contenus ». Selon l'érudit tibétain Gendün Chöpel, qui voyagea énormément dans tout le sous-continent indien au cours des années 1930, la description faite par l'Abhidharma de la « Terre » comme continent sud représentait une carte ancienne du centre de l'Inde. Il a donné un exposé captivant qui explique à quels sites géographiques réels de l'Inde moderne correspondent les trois autres « continents ». Que cette intuition soit vraie ou que ces lieux aient en fait été nommés d'après les « continents » supposés entourer le mont Meru, la question reste ouverte.

Dans certains textes sacrés anciens, les planètes sont décrites comme des corps sphériques suspendus dans l'espace vide, ce qui ressemble un peu à la conception des systèmes planétaires de la cosmologie moderne. La cosmologie de Kalachakra établit une chronologie de l'évolution des corps célestes dans notre galaxie actuelle. D'abord, les étoiles furent formées, après quoi le système solaire apparut, etc. Ce qui est intéressant dans les deux cosmologies, l'Abhidharma et le Kalachakra, c'est l'image spectaculaire qu'elles proposent de l'origine de l'Univers. Pour elles, notre système du monde n'est qu'un parmi d'innombrables autres. L'Abhidharma et le Kalachakra donnent le terme technique de *trichilicosme* (ce qui, je pense, correspond à peu près à des milliards de systèmes de mondes) pour exprimer à la fois la notion de gigantesque et d'innombrable. Ainsi, bien qu'il n'y ait en principe ni « commencement » ni « fin » de l'Univers dans sa totalité, il existe un processus temporel défini avec un commencement, un milieu et une fin pour chacun des systèmes de mondes.

Cette évolution comporte quatre phases principales, connues comme les périodes de (1) vide, (2) formation, (3) stabilisation et enfin (4) destruction. Chacune de ces étapes est supposée durer un temps immensément long, vingt « éons moyens ». Et c'est seulement, dit-on, au cours du dernier éon moyen de l'étape de formation que les êtres sensibles sont apparus. La destruction d'un système peut être due à l'un des trois éléments naturels autres que la terre et l'espace – à savoir, l'eau, le feu et l'air. L'élément, quel qu'il soit, qui a provoqué la destruction du système de monde précédent agira comme base de la création d'un nouveau.

Au cœur de la cosmologie bouddhique résident, par conséquent, non seulement l'idée qu'il existe des systèmes de mondes multiples – infiniment plus que les grains de sable dans le Gange, selon certains textes –, mais également l'idée qu'ils sont constamment en création et en extinction. Ce qui signifie que l'Univers n'a aucun commencement absolu. Cette idée soulève des questions fondamentales pour la science. « Y a-t-il eu un seul big bang ou plusieurs ? Existe-t-il un seul Univers ou y en a-t-il plusieurs, voire même un nombre infini ? L'Univers est-il fini ou infini, comme le bouddhisme l'affirme ? Notre univers s'étendra-t-il indéfiniment, ou bien son expansion ralentira-t-elle, et même fera-t-elle marche arrière, pour aboutir finalement à un big crunch (grand effondrement) ? L'Univers fait-il partie d'un cosmos qui se reproduit éternellement ? » Le débat autour de ces questions est intense parmi les scientifiques. Du point de vue bouddhique se pose une autre question. Même si nous acceptons qu'il n'y ait eu qu'un seul big bang cosmique, nous pouvons quand même nous demander : « Est-il l'origine de l'Univers entier ou marque-t-il seulement l'origine de notre système particulier ? » Une question essentielle est donc de savoir si le big bang – qui, selon la cosmologie moderne, est le commencement de notre système de monde actuel – est réellement le commencement de tout.

Dans une perspective bouddhique, l'idée d'un commencement unique est hautement problématique. Dans le cas d'un commencement absolu, cela ne laisse que deux options du point de vue de la logique. L'une est le théisme, pour lequel l'Univers est créé par une intelligence totalement transcendante, en dehors des lois de cause à effet. La seconde option est que l'Univers est apparu sans être créé par aucune cause. Le bouddhisme rejette ces deux options. Si l'Univers est créé par une intelligence antérieure demeurent les questions du statut ontologique de cette intelligence et du type de réalité dont il s'agit.

Le grand logicien et épistémologue Dharmakirti a exposé avec pertinence la critique bouddhique typique du théisme. Dans son classique *Commentaire sur le Compendium de connaissance valide*, Dharmakirti s'attaque à certaines des « preuves » les plus solides de l'existence du Créateur formulées par les écoles philosophiques théistes indiennes. En résumé, les arguments en faveur du théisme sont les suivants : les mondes de l'expérience intérieure et de la matière extérieure sont créés par une intelligence antérieure, parce que *a)* comme les outils du charpentier, ils fonctionnent en séquence successive et ordonnée ; *b)* comme des artefacts tels que les vases, ils ont des formes ; *c)* comme les objets usuels, ils possèdent une efficacité causale.

Ces arguments, je pense, présentent une ressemblance avec l'argument théiste de la tradition philosophique occidentale connu comme l'argument du dessein. Selon cet argument, le degré élevé d'ordre que nous percevons dans la nature est la preuve d'une intelligence créatrice. Tout comme on ne conçoit pas de montre sans horloger, il est également difficile de concevoir un Univers ordonné sans qu'une intelligence en soit l'auteur.

Les écoles philosophiques classiques indiennes adoptant une interprétation théiste de l'origine de l'Univers sont aussi diverses que leurs homologues en Occident. L'une des plus anciennes, une branche de l'école Samkhya, soutenait l'idée que l'Univers était apparu par le biais de l'interaction créative de ce qu'elles nomment « substance primaire », *prakrit*, et *Ishvara*, Dieu. C'est une théorie métaphysique élaborée, fondée sur la loi naturelle de causalité ; elle explique le rôle de la Divinité en termes de caractéristiques plus mystérieuses de la réalité, telles que la création, le but de l'existence et d'autres questions de cet ordre.

Dharmakirti focalise sa critique en faisant la démonstration d'une incohérence fondamentale de la position théiste. Il montre que la tentative de rendre compte de l'origine de l'Univers en termes théistes est elle-même motivée par le principe de causalité. Or, en analyse finale, le théisme est forcé de rejeter ce principe. En posant comme principe un commencement absolu à la chaîne de causalité, les théistes suggèrent qu'il existe quelque chose, du moins une cause, qui se situe elle-même en dehors de la loi de causalité. Ce commencement, qui est effectivement la cause première, sera lui-même sans cause. La cause première devra être un principe éternel et absolu. Si c'est le cas, comment expliquer sa capacité à produire des choses et des événements éphémères ? Dharmakirti affirme qu'aucune efficacité causale ne peut s'accorder à ce principe, lui-même permanent. Par essence, le postulat d'une cause première devra être une hypothèse métaphysique arbitraire, explique-t-il. Elle ne peut être prouvée.

Pour l'auteur du IVᵉ siècle Asanga, les origines de l'Univers devaient être entendues en termes de théorie de coproduction conditionnée. Toutes choses naissent et finissent en étant dépendantes de causes et de conditions, trois principales régissant la coproduction conditionnée. Premièrement, la condition d'*absence d'une intelligence antérieure*. Asanga réfute la possibilité d'un Univers qui serait la création d'une intelligence antérieure, affirmant que, si l'on pose en principe l'existence de cette intelligence, elle devra transcender totalement le principe de cause à effet. Un être absolu qui serait éternel et transcendant se situerait au-delà du domaine de la loi de causalité et n'aurait aucune capacité d'interaction. Par conséquent, il ne pourrait ni commencer quelque chose ni l'arrêter. Deuxièmement, la condition d'*impermanence* : les causes et les conditions mêmes qui engendrent le monde de coproduction conditionnée sont elles aussi impermanentes et soumises au changement. Troisièmement, la condition de *potentialité* :

quelque chose ne peut être produit à partir de rien. Plus exactement, pour qu'une série particulière de causes et de conditions entraîne une série particulière d'effets ou de conséquences, il doit exister une forme de relation naturelle entre elles. Asanga affirme que l'origine de l'Univers doit être comprise comme une chaîne causale infinie sans transcendance ni intelligence antérieure.

Le bouddhisme et la science manifestent la même réticence fondamentale à postuler l'existence d'un être transcendant à l'origine de toute chose. Cela n'est guère surprenant. Ces deux traditions d'investigation sont en effet essentiellement non théistes dans leurs orientations philosophiques. Cependant, si, d'un côté, le big bang est considéré comme le commencement absolu, ce qui implique que l'Univers a un instant absolu d'origine (à moins de refuser de spéculer au-delà de cette explosion cosmique), les cosmologistes doivent accepter bon gré, mal gré une forme quelconque de principe transcendant comme cause de l'Univers. Ce n'est pas nécessairement le même Dieu que celui postulé par les théistes ; néanmoins, dans son rôle primordial de créateur de l'Univers, ce principe transcendant sera une sorte de divinité.

D'un autre côté, si (comme certains scientifiques l'ont suggéré) le big bang est moins un point de départ qu'un point d'instabilité thermodynamique, il est possible de formuler une explication plus nuancée et plus complexe de cet événement cosmique. J'ai entendu dire que, de l'avis de nombreux scientifiques, la question de savoir si le big bang est le commencement absolu de tout n'est pas encore tranchée. La seule preuve empirique concluante, à ma connaissance, est que notre propre environnement cosmique semble avoir évolué à partir d'un état chaud et dense. Jusqu'à ce que l'on trouve des preuves plus convaincantes des divers aspects de la théorie du big bang et que les idées fondamentales de la physique quantique et de la théorie de la relativité soient complètement intégrées, nombre des questions cosmologiques soulevées ici resteront du domaine de la métaphysique et non de la science empirique.

Dans la cosmologie bouddhique, le monde est construit à partir de cinq éléments : l'élément espace qui le soutient, et les quatre éléments de base, terre, eau, feu et air. L'espace permet l'existence et le fonctionnement de tous les autres éléments. Le système de Kalachakra présente l'espace non comme un néant total, mais comme un milieu composé de « particules vides » ou de « particules d'espace » qui sont supposées être des particules « matérielles » extrêmement subtiles. Cet élément espace est la base de l'évolution et de la dissolution des quatre éléments, qu'il génère et réabsorbe. Le processus de dissolution a lieu dans cet ordre : terre, eau, feu et air, la génération : air, feu, eau et terre.

Selon Asanga, ces éléments de base, qu'il décrit comme les « quatre grands éléments », ne doivent pas être compris en termes de matérialité au sens strict. Il opère une distinction entre les « quatre grands éléments », sortes de potentialités, et les quatre éléments, constituants de la matière agrégée. Il est sans doute plus aisé de comprendre les quatre éléments constitutifs d'un objet matériel en termes de solidité (terre), liquidité (eau), chaleur (feu) et énergie cinétique (air). La création des quatre éléments se fait du niveau subtil en allant vers le niveau grossier, à partir de particules vides. Ils se dissolvent en partant du niveau grossier pour aller vers le niveau subtil et réintègrent les particules d'espace vides. L'espace, avec ses particules vides, est la base de l'ensemble du processus. Le terme *particule* n'est peut-être pas approprié lorsqu'il est question de ces phénomènes, en ce qu'il implique des réalités matérielles déjà formées. Malheureusement, on trouve peu de descriptions dans les textes permettant de mieux définir ces particules d'espace.

La cosmologie bouddhique établit ainsi le cycle de l'Univers : il y a d'abord une période de formation, puis celle où l'Univers se perpétue, celle où il est détruit, suivie par une période de vide avant la formation d'un nouvel Univers. Au cours de la quatrième période, celle du vide, les particules d'espace subsistent, et c'est à partir de ces particules que toute la matière du nouvel Univers est formée. C'est dans ces particules d'espace que nous trouvons la cause fondamentale de l'ensemble du monde physique. Si nous voulons décrire la formation de l'Univers et des corps physiques des êtres, nous devons analyser la manière dont les différents éléments constituant cet Univers ont pu prendre forme à partir de ces particules d'espace.

C'est grâce au potentiel spécifique de ces particules que la structure de l'Univers et de tout ce qui s'y trouve – planètes, étoiles, êtres sensibles, tels que les êtres humains et les animaux – sont apparus. Si nous retournons à la cause ultime des objets matériels du monde, nous arrivons finalement aux particules d'espace. Elles précèdent le big bang (ce qui veut dire tout nouveau commencement) et sont vraiment le résidu de l'Univers précédent qui s'est désintégré. Je crois savoir que certains cosmologistes penchent pour l'idée que notre Univers a émergé de ce que l'on appelle le *vide quantique* en tant que fluctuation. Pour moi, cette idée trouve son écho dans la théorie de Kalachakra des particules d'espace.

Comprendre l'origine de l'Univers au cours des toutes premières secondes pose un défi quasi insurmontable à la cosmologie moderne. Une partie du problème réside dans le fait que les quatre forces connues de la nature – gravitation et électromagnétisme, et les forces nucléaires faible et forte – ne fonctionnent pas à ce moment-là. Elles entrent en jeu plus tard, lorsque la densité et la température du stade initial ont suffisamment décru pour que les éléments de base de la matière, tels l'hydrogène et l'hélium, commencent à se former. Au commencement exact du big bang, il y a ce qu'on appelle une « singularité ». Ici, toutes les équations mathématiques et toutes les lois de la physique s'écroulent. Les quantités normalement mesurables, comme la densité et la température, deviennent indéfinies.

Du fait que l'étude scientifique de l'origine du cosmos exige l'application d'équations mathématiques et l'hypothèse de la validité des lois de la physique, si ces équations et ces lois s'écroulent, nous devrions, semble-t-il, nous poser la question de savoir si nous pourrons un jour trouver une explication complète sur les quelques secondes initiales du big bang. Mes amis scientifiques m'ont dit que certains des meilleurs esprits ont entrepris l'exploration de l'histoire de ces premières phases. Certains sont convaincus, ai-je appris, que la solution à ce qui apparaît actuellement comme un ensemble de problèmes insurmontables réside certainement dans la découverte d'une grande théorie unifiée. Elle permettra d'intégrer toutes les lois connues de la physique et de réunir les deux paradigmes de la physique moderne qui semblent se contredire – la relativité et la mécanique quantique. À ma connaissance, les hypothèses axiomatiques de ces deux théories se sont révélées irréconciliables jusqu'à présent. Selon la théorie de la relativité, les calculs exacts de l'état précis du cosmos à un moment donné sont possibles si l'on détient suffisamment d'informations. La mécanique quantique, elle, affirme que le monde des particules microscopiques n'est compris qu'en termes de probabilité, parce que, à un niveau fondamental, le monde est constitué de morceaux ou quanta de matière (d'où le nom de *physique quantique*) soumis au principe d'incertitude. Les théories portant des noms exotiques telles que la théorie des supercordes ou la théorie M sont candidates au titre de grande théorie unifiée.

L'entreprise qui consiste à obtenir une connaissance complète du déploiement originel de notre Univers constitue en soi un autre défi. Au niveau fondamental, la mécanique quantique nous dit qu'il est impossible de prédire avec précision le comportement d'une particule dans une situation donnée. On ne peut donc faire de prédictions sur le comportement des particules que sur une base probabiliste. Dans ce cas, quelle que soit la puissance de nos formules mathématiques, étant donné que notre connaissance des conditions initiales d'un phénomène ou d'un événement donné sera toujours incomplète, nous ne pourrons comprendre totalement le déroulement du reste de l'histoire. Au mieux, nous émettrons des conjectures approximatives, mais nous ne parviendrons jamais à une description complète ne serait-ce que d'un seul atome, et encore moins de l'Univers.

Le monde bouddhique reconnaît l'impossibilité pratique d'acquérir une connaissance totale de l'origine de l'Univers. Un texte Mahayana intitulé *Sutra de l'ornementation fleurie* contient une longue discussion sur les systèmes de mondes infinis et les limites du savoir humain. Un chapitre intitulé « L'incalculable » fournit une chaîne de calculs de nombres extrêmement élevés, aboutissant à des termes tels que l'« incalculable », l'« incommensurable », l'« illimité » et l'« incomparable ». Le nombre le plus élevé est le « carré incalculable », dont on dit qu'il est la fonction de l'« indicible » multiplié par lui-même ! Un de mes amis dit que ce nombre s'écrit ainsi : 10^{59}. Le *Sutra de l'ornementation fleurie* poursuit en appliquant ces nombres ahurissants aux systèmes d'univers ; il suggère que, si des mondes « incalculables » sont réduits à des atomes et que chaque atome contient des mondes « incalculables », on ne sera toujours pas arrivé au bout du calcul du nombre de systèmes de mondes.

De la même manière, le texte compare, en de beaux vers poétiques, la réalité complexe et profondément interconnectée du monde à un filet infini orné de pierreries, appelé « filet de joyaux d'Indra », qui est lancé dans l'espace infini. À chaque nœud du filet se trouve un cristal, relié à toutes les autres gemmes et se reflétant dans toutes. Sur ce filet, pas un joyau n'est au centre ou au bord. Chacun des joyaux est au centre dans le sens où il reflète tous les autres joyaux placés sur le filet. En même temps, il est au bord dans le sens où lui-même se reflète dans tous les autres joyaux. Du fait de la profonde interconnexion de toute chose dans l'Univers, il est impossible d'avoir une connaissance totale ne serait-ce que d'un seul atome, à moins d'être omniscient. Connaître ne serait-ce qu'un seul atome complètement impliquerait la connaissance de sa relation à tous les autres phénomènes dans l'Univers infini.

Selon les textes de Kalachakra, tout Univers particulier, avant sa formation, demeure dans un état de vide, où tous ses éléments matériels existent sous forme d'une potentialité en tant que « particules d'espace ». À un certain point, lorsque les propensions karmiques des êtres sensibles susceptibles d'évoluer dans cet Univers particulier arrivent à maturation, les « particules d'air » commencent à s'agréger, créant un vent cosmique. Ensuite, les « particules de feu » s'agrègent de la même manière, créant des charges « thermiques » puissantes qui voyagent à travers l'air. À la suite de quoi, les « particules d'eau » s'agrègent pour former une « pluie » torrentielle accompagnée d'éclairs. Enfin, les « particules de terre » s'agrègent et, combinées aux autres éléments, commencent à prendre une forme solide. Le cinquième élément, l'« espace », est supposé pénétrer dans tous les autres éléments comme une immense force et ne possède donc pas d'existence distincte. Au bout d'un long processus temporel, ces cinq éléments s'étendent pour former l'Univers physique tel que nous le connaissons et en faisons l'expérience.

Jusque-là, nous avons parlé de l'origine de l'Univers comme s'il ne consistait qu'en un mélange de matière inanimée et d'énergie – la naissance des galaxies, les trous noirs, les étoiles, les planètes et le désordre des particules subatomiques. La perspective bouddhique inclut cependant la question essentielle du rôle de la conscience. Par exemple, est inhérente aux cosmologies de Kalachakra et de l'Abhidharma l'idée que la formation d'un système d'Univers particulier est intimement liée aux propensions karmiques des êtres sensibles. En langage contemporain, on dirait que, selon ces cosmologies bouddhiques, notre planète a évolué de façon à permettre le développement d'êtres sensibles sous la forme des myriades d'espèces qui existent aujourd'hui.

En évoquant ici le karma, je ne suggère pas que, d'après le bouddhisme, tout est fonction de lui. Nous devons faire la distinction entre la loi naturelle de causalité et la loi du karma. Pour la première, une fois qu'une série de conditions est activée, elle produit une certaine série d'effets. Pour la seconde, un acte intentionnel récoltera certains fruits. Ainsi, par exemple, si un feu de camp est laissé allumé dans la forêt et enflamme des brindilles sèches, entraînant un incendie de forêt, le fait qu'une fois embrasés les arbres brûlent, se transformant en charbon et en fumée, est simplement l'opération de la loi naturelle de causalité, étant donné la nature du feu et des matériaux inflammables. Aucun karma n'est impliqué dans cette séquence d'événements. Mais si un être sensible allume volontairement un feu de camp et oublie de l'éteindre – ce qui marque le début d'une chaîne d'événements –, dans ce cas-là, la causalité karmique est impliquée.

Je pense que le déploiement d'un Univers relève de la loi naturelle de causalité. J'imagine l'intervention du karma dans la scène à deux moments. Lorsque l'Univers a atteint un stade où il permet la vie d'êtres sensibles, son destin devient lié au karma des êtres qui l'habiteront. Plus ardue sans doute est la première intervention du karma, portant effectivement sur la maturation du potentiel karmique des êtres sensibles qui habiteront cet Univers, intervention qui déclenchera la naissance de ce dernier.

On dit traditionnellement que seul l'esprit omniscient du Bouddha possède la capacité de discerner où se situe exactement le point d'intersection entre le karma et la loi naturelle de causalité. Le problème est de savoir comment réconcilier deux types d'explications – premièrement, que tout Univers avec les êtres qui s'y trouvent résultent du karma, deuxièmement, qu'il existe un processus naturel de cause à effet qui se déroule tout simplement. Les premiers textes bouddhiques suggèrent que la matière d'une part et la conscience d'autre part sont en relation suivant leur propre processus de cause à effet, ce qui donne naissance à une nouvelle série de fonctions et de propriétés dans les deux cas. La compréhension de leur nature, de leurs relations causales et de leurs fonctions permet alors d'en déduire des conclusions – tant pour la matière que pour la conscience – qui engendrent la connaissance. Ces étapes ont été codifiées sous l'appellation des « quatre principes » – le principe de nature, de dépendance, de fonction et de preuve.

La question est alors la suivante : ces quatre principes (qui constituent effectivement les lois de la nature selon la philosophie bouddhique) sont-ils eux-mêmes indépendants du karma, ou bien leur existence même est-elle liée au karma des êtres qui habitent l'Univers dans lequel ils opèrent ? Cette question est analogue à celles formulées au sujet du statut des lois de la physique. Existe-t-il un ensemble complètement différent de lois de la physique dans un Univers différent, ou bien les lois de la physique telles que nous les comprenons sont-elles valables dans tous les univers possibles ? Si la réponse est qu'un ensemble différent de lois opère dans un Univers différent, cela suggérerait (dans une perspective bouddhique) que même les lois de la physique sont étroitement intriquées avec le karma des êtres sensibles qui naîtront dans cet Univers.

Comment les théories cosmologiques bouddhiques conçoivent-elles le développement de la relation entre les propensions karmiques des êtres sensibles et l'évolution d'un Univers physique ? Par quel mécanisme le karma est-il relié à l'évolution d'un système physique ? Dans l'ensemble, les textes bouddhiques de l'Abhidharma n'ont pas grand-chose à dire sur ces questions, hormis le fait général que l'environnement dans lequel existe un être sensible est un « effet environnemental » du karma collectif de l'être, partagé avec une myriade d'autres êtres. Cependant, on trouve dans les textes de Kalachakra d'étroites corrélations entre le cosmos et les corps des êtres sensibles qui y vivent, entre les éléments naturels de l'Univers physique extérieur et ceux à l'intérieur des corps des êtres sensibles, et entre les phases des corps célestes et les changements à l'intérieur des corps des êtres sensibles. Le Kalachakra présente un tableau détaillé de ces corrélations et leurs manifestations dans l'expérience d'une créature sensible. Par exemple, les textes parlent de la façon dont les éclipses solaires et lunaires affectent le corps d'un être sensible en modifiant les modes de respiration. Il serait intéressant de soumettre certaines de ces affirmations empiriques à l'investigation scientifique.

Malgré l'existence de toutes ces théories scientifiques profondes sur l'origine de l'Univers, je continue à me poser des questions, des questions sérieuses : « Qu'est-ce qui a existé avant le big bang ? D'où le big bang est-il venu ? Qu'est-ce qui l'a provoqué ? Comment notre planète a-t-elle évolué pour permettre la vie ? Quelle est la relation entre le cosmos et les êtres qui y ont évolué ? » Les scientifiques écartent ces questions en les qualifiant d'absurdes ou bien ils reconnaissent leur importance mais nient qu'elles relèvent du domaine de l'enquête scientifique. Cependant, ces deux approches auront comme conséquence de reconnaître les limites de notre connaissance scientifique sur l'origine de notre cosmos. Je ne suis pas soumis aux contraintes professionnelles ou idéologiques d'une vision du monde radicalement matérialiste. Et puisque, dans le bouddhisme, l'Univers est considéré comme infini et sans commencement, je suis donc tout à fait disposé à m'aventurer au-delà du big bang et à spéculer sur les scénarios possibles qui l'auraient précédé.

5

L'Évolution, le karma
et le monde des êtres sensibles

La question « Qu'est-ce que la vie ? », indépendamment de la manière dont elle est formulée, constitue un défi à toute tentative intellectuelle d'élaboration d'une vision du monde cohérente. Comme la science moderne, le bouddhisme soutient comme prémisse qu'il n'existe, au niveau le plus fondamental, aucune différence qualitative entre le substrat matériel du corps d'un être sensible, tel qu'un être humain, et celui d'un morceau de rocher, par exemple. Tout comme un rocher est constitué d'une agrégation de particules matérielles, le corps humain est composé de particules matérielles similaires. Le cosmos dans son entier et toute la matière qui s'y trouve sont effectivement formés de la même substance, indéfiniment recyclée – selon la science, les atomes de notre corps appartenaient auparavant aux étoiles situées très loin dans le temps et l'espace.

La question est alors : « Qu'est-ce qui fait qu'un corps humain est si différent d'un rocher pour qu'il porte en lui la vie et la conscience ? » La réponse biologique moderne à cette question avance la notion de l'émergence de degrés supérieurs de propriétés correspondant à des degrés supérieurs de complexité dans l'agrégation des constituants matériels. En d'autres termes, la biologie moderne explique qu'il s'agit d'une agrégation de plus en plus complexe d'atomes pour former des structures moléculaires et génétiques ; l'organisme complexe de la vie émerge simplement à partir d'éléments matériels.

L'évolution darwinienne est le fondement conceptuel de la biologie moderne. La théorie de l'évolution, et en particulier la notion de sélection naturelle, donne une vue générale de l'origine des diverses formes de vie. Telle que je la comprends, la théorie de l'évolution et de la sélection naturelle est une tentative d'explication de la variété miraculeuse des êtres vivants. L'idée scientifique que de nouvelles formes sont créées par la transformation des formes actuelles est utilisée pour rendre compte de l'étonnante richesse de la vie et des énormes différences entre les nombreuses espèces ; s'y ajoute l'idée que les caractéristiques les mieux adaptées à un environnement donné seront transmises aux générations suivantes, tandis que les caractéristiques non essentielles à la survie disparaissent.

D'après ce qu'on m'a dit, la théorie décrit une « descendance » (nom donné par Darwin lui-même) partant d'une simplicité originelle pour aller vers la multiplicité et la complexité de toutes les formes de vie. Étant donné que tous les êtres vivants appartiennent à des lignées remontant à un ancêtre commun, la théorie insiste sur l'interconnectivité originelle des êtres vivants dans le monde.

J'ai entendu parler de la théorie de l'évolution lors de mon premier voyage en Inde en 1956, et c'est là que l'on m'a expliqué certains aspects théoriques de la biologie moderne. Mais c'est seulement bien plus tard que j'ai eu l'occasion d'en parler plus longuement avec un véritable scientifique. Ironiquement, la seule personne qui m'ait aidé à appréhender plus complètement la théorie n'était pas un scientifique mais un spécialiste des religions. Huston Smith me rendit visite à Dharamsala dans les années 1960. Nous avons discuté des religions du monde, de la nécessité d'un plus grand pluralisme parmi leurs disciples et du rôle de la spiritualité dans un monde de plus en plus matérialiste, ainsi que de certaines réflexions plus ésotériques sur des domaines possibles de convergence entre le bouddhisme et le mysticisme chrétien. Cependant, le sujet qui m'a le plus frappé fut la biologie moderne, en particulier notre discussion sur l'ADN et le fait que tant de secrets de la vie semblent résider dans le mystère de cette superbe chaîne biologique. Lorsque je recense mes professeurs de science, j'y inclus Huston Smith, tout en n'étant pas sûr qu'il soit d'accord.

Le taux exponentiel de progrès réalisés en biologie, en particulier la révolution opérée dans le domaine de la science génétique, nous a permis d'approfondir radicalement notre compréhension du rôle de l'ADN dans la résolution des mystères de la vie. Ma propre compréhension de la biologie moderne doit beaucoup aux apports de grands professeurs comme feu Robert Livingston, de l'université de San Diego en Californie. C'était un enseignant très patient qui regardait intensément son interlocuteur à travers ses lunettes lorsqu'il expliquait un point ; c'était aussi un homme d'une nature extrêmement enthousiaste et profondément engagé en faveur du désarmement nucléaire mondial. Parmi les cadeaux que j'ai reçus de lui figurent un modèle en plastique du cerveau composé d'éléments amovibles, qui est aujourd'hui posé sur mon bureau à Dharamsala, et un texte manuscrit des points clés de la neurobiologie.

La théorie de Darwin donne un cadre explicatif à l'abondance des espèces, faune et flore incluses, à la richesse de ce que les bouddhistes appellent les êtres sensibles et aussi les plantes, qui constituent effectivement le monde biologique environnant. Jusque-là, elle n'a pu être réfutée car elle a proposé l'interprétation scientifique la plus cohérente de l'évolution de la diversité de la vie sur Terre. Elle s'applique aussi bien au niveau moléculaire – c'est-à-dire à l'adaptation et à la sélection des gènes individuels – qu'au niveau macrocosmique des grands organismes. En dépit de quoi, elle ne répond pas explicitement à la question conceptuelle : qu'est-ce que la vie ? Cela dit, la biologie voit dans certaines caractéristiques clés des éléments essentiels à la vie : le fait que les organismes soient des systèmes autosuffisants ; qu'ils possèdent naturellement des mécanismes de reproduction. Autre définition clé, la capacité de se développer en allant du chaos vers l'ordre, appelée « entropie négative ».

La tradition bouddhique de l'Abhidharma, de son côté, définit *sok*, l'équivalent tibétain du terme français *vie*, comme porteur de « chaleur » et de « conscience ». Dans une certaine mesure, les différences sont sémantiques, puisque ce que les penseurs bouddhistes entendent par *vie* et le vivant s'applique entièrement aux êtres sensibles et non aux plantes, tandis que la biologie moderne a une conception de la vie plus large, englobant jusqu'au niveau cellulaire. La définition de l'Abhidharma ne correspond pas à la version biologique. À cela, une raison essentielle : la théorie bouddhique a pour motivation première de répondre à des questions éthiques ne pouvant être envisagées que dans des formes supérieures de vie.

Si j'ai bien compris, la sélection naturelle se trouve au centre de la théorie de l'évolution de Darwin. Mais qu'est-ce que cela signifie ? Le modèle biologique représente la sélection naturelle comme une mutation génétique aléatoire suivie d'une compétition entre les organismes afin d'aboutir à la « survie des plus aptes ». Plus exactement, au fait que certains organismes se reproduisent mieux que d'autres. Chaque trait d'un organisme est soumis aux contraintes de l'environnement. Les organismes qui se développent le mieux dans les limites de ces contraintes et en compétition avec d'autres, et qui se reproduisent le plus, sont jugés mieux adaptés et donc mieux équipés pour survivre. Les espèces vivantes se transforment du fait de la sélection permanente des caractères les plus adéquats pour un environnement donné au sein de variations dues à des mutations aléatoires.

La sélection naturelle explique comment certaines espèces de mouches ou de singes survivent mieux dans un environnement donné, et comment les humains sont devenus modernes à partir d'ancêtres qui furent aussi ceux des singes. En dépit de leurs différences évidentes, les humains et les chimpanzés ont 98 % d'ADN en commun ; une différence de 2 % seulement explique la distinction entre les deux espèces (la différence entre les humains et les gorilles est de 3 %). De même, au niveau des gènes, la sélection naturelle semble expliquer comment sont sélectionnées certaines mutations génétiques (aléatoires mais naturelles) et à partir de là comment se créent de nouvelles variétés au sein des êtres vivants. La mutation génétique est également vue comme un moteur d'évolution au niveau moléculaire. Et la sélection naturelle est considérée comme le mécanisme qui favorise le développement de groupes neuronaux (transmetteurs, récepteurs, etc.) à l'origine de l'individuation et des variations de chaque cerveau. Au niveau de l'espèce, elle aurait également joué un rôle dans l'évolution des caractéristiques de la conscience humaine, par exemple.

La sélection naturelle est même considérée comme un processus clé lors des débuts de la vie : ont émergé des molécules particulières capables de s'autorépliquer (peut-être par hasard au début), et ce, dans une « soupe » primitive organique ou probablement sous forme de cristaux inorganiques autorépliquants. D'après ce que m'a dit Stephen Chu, physicien à Stanford, son équipe élabore d'ailleurs des modèles pour expliquer la vie en termes de lois de la physique. Selon ce que l'on pense aujourd'hui des origines de la vie organique, peu de temps après l'apparition de la Terre elle-même, des molécules d'ARN (acide ribonucléique), elles-mêmes hautement instables, sont apparues et se sont répliquées de façon autonome. Par un processus de sélection naturelle, des molécules plus résistantes et plus durables – des molécules d'ADN (acide désoxyribonucléique, dépositaire fondamental des informations génétiques)

– ont émergé de l'ARN. La vie est apparue sous la forme d'une créature plus élaborée qui a stocké sa « recette » génétique de fabrication dans l'ADN et a trouvé sa forme à partir de protéines. L'ARN est devenu le lien entre l'ADN et la protéine, car il lit les informations stockées dans l'ADN puis guide la production de protéines.

Le premier organisme composé d'ADN, d'ARN et de protéines est connu sous le nom de Luca (*initiales de Last common universal ancestor, NdT*), le dernier ancêtre commun universel, qui devait sans doute être une sorte de bactérie vivant enfouie profondément sous terre ou dans de l'eau tiède. Là aussi, par un processus d'autoréplication et de sélection naturelle, Luca a graduellement évolué pour aboutir à l'apparition de tous les êtres vivants. Je souris toujours quand j'entends ce nom, Luca étant celui de mon traducteur italien de longue date.

Ce modèle présuppose une suite de changements infimes et graduels qui finissent par aboutir aux innombrables variations visibles chez les êtres vivants. Puis, intervient la sélection naturelle. Il existe plusieurs possibilités pour ce tableau – par exemple, celle de changements soudains et importants, et par conséquent une vision de l'évolution avançant par bonds au cours desquels les transformations des organismes ont lieu non pas progressivement mais de manière spectaculaire. De même, un débat se poursuit pour savoir si la sélection naturelle est le seul mécanisme de changement ou si d'autres facteurs sont également impliqués.

L'explosion très récente de la science génétique nous a permis de comprendre l'évolution au niveau moléculaire et génétique de façon incomparablement plus élaborée et plus précise. Le séquençage complet du génome humain a été réalisé, avec un parfait timing, juste avant le cinquantième anniversaire de la découverte de la structure de l'ADN par James Watson et Francis Crick, en 1953. Cet exploit colossal a un potentiel technologique et médical incalculable.

J'ai entendu parler pour la première fois de séquençage du génome d'une manière étrange. Le jour où le président américain Bill Clinton et le Premier ministre britannique Tony Blair l'ont annoncé conjointement, je me trouvais aux États-Unis et je devais passer dans l'émission « Larry King Live ». Comme je n'écoute les informations que tôt le matin ou bien en fin de journée, je n'avais pas entendu celles diffusées l'après-midi. Aussi, quand Larry King me demanda ce que j'en pensais, n'avais-je pas la moindre idée de ce dont il parlait. J'avais du mal à trouver le lien entre l'annonce d'une découverte scientifique de cette ampleur et les déclarations à la presse de deux hommes politiques. Comme notre entretien avait lieu par liaison satellite, cela ne facilitait pas la conversation. C'est donc Larry King qui me donna la nouvelle en direct.

Les implications de cet exploit scientifique étonnant se font de plus en plus ressentir. J'en ai discuté avec des scientifiques du domaine, en particulier le généticien Eric Lander, du MIT. Il m'a fait visiter son laboratoire au Broad Institute du MIT et de Harvard où sont installées un grand nombre de puissantes machines de séquençage du génome humain.

Au cours d'une des conférences Mind and Life, Eric a comparé le génome humain au *kangyur*, l'ensemble de textes sacrés attribués au Bouddha et traduits en tibétain, qui se compose de plus d'une centaine de volumes d'environ trois cents folios chacun. Le livre énorme du génome possède vingt-trois chapitres, les vingt-trois chromosomes humains, et chaque série (une série provenant de chaque parent) contient entre trente mille et quatre-vingt mille gènes. Chacun de ces chapitres est écrit sur une longue chaîne ADN en mots de trois lettres, composés des quatre lettres A, C, G et T – adénine, cytosine, guanine et thymine – séquencées dans toutes les combinaisons possibles.

Imaginez, suggérait Eric, que durant les millions d'années où ce livre a été copié, de temps à autre, quelques petites erreurs se soient glissées, tout comme – durant les centaines d'années de copie manuscrite – de petites erreurs d'écriture, des fautes d'orthographe et des substitutions de mots se sont glissées dans le texte du *kangyur*. Ces erreurs se perpétuent dans les copies suivantes, ce qui crée alors de nouvelles variantes, etc. Certaines de ces variations orthographiques n'auront pas d'impact radical sur la lecture du texte ; néanmoins, il arrive quelquefois qu'une grave erreur d'orthographe ait des répercussions importantes. Dans cette analogie avec le livre canonique, le changement peut ne consister qu'en une simple erreur d'orthographe, mais si celle-ci porte, disons, sur la transformation d'un mot positif en un mot négatif, cela aura un effet radical sur le sens d'une phrase ou sur la lecture de l'ensemble du texte. Ce sont ces variations orthographiques aléatoires qui, d'après ce qu'on m'a expliqué, représentent les mutations survenant naturellement dans le processus d'évolution.

Selon certains biologistes, le consensus s'élargit quant au caractère entièrement aléatoire des mutations génétiques, naturelles ou pas. Cependant, une fois que ces mutations ont eu lieu, le principe de sélection naturelle fait en sorte que, dans l'ensemble, soient sélectionnés les mutations ou les changements favorisant la meilleure chance de survie. Comme la biologiste américaine Ursula Goodenough l'a si bien formulé lors d'une conférence Mind and Life en 2002, « la mutation est absolument aléatoire, mais la sélection est extrêmement exigeante ! ». D'un point de vue philosophique, l'idée que ces mutations, qui ont des implications si importantes, se produisent naturellement ne pose pas de problème, mais qu'elles soient purement aléatoires ne me paraît vraiment pas convaincant. On ne sait pas si ce caractère aléatoire doit être entendu comme un aspect objectif de la réalité ou plutôt comme l'indication d'une sorte de causalité cachée.

Contrairement à la science, le bouddhisme ne mène aucune discussion philosophique substantielle sur la façon dont des organismes vivants émergent de la matière inanimée. En fait, cela ne semble même pas avoir été identifié comme une question philosophique sérieuse. Au mieux, on admet implicitement que l'émergence d'organismes vivants à partir de matière inanimée soit simplement une conséquence de cause à effet au fil du temps, étant donné un certain ensemble de conditions initiales, ainsi que les lois de la nature qui président à tous les domaines de l'existence. Le bouddhisme est néanmoins conscient de la difficulté d'expliquer l'émergence des êtres sensibles à partir d'éléments de base non sensibles par essence.

Cette différence de préoccupation entre bouddhisme et science moderne est sans doute liée en partie aux différences historiques, sociales et culturelles complexes qu'ont connues ces deux traditions d'investigation. Pour la science moderne, le fossé critique semble se situer, du moins d'un point de vue philosophique, entre la matière inanimée et l'origine des organismes vivants. Pour le bouddhisme, il se trouve entre la matière non sensible et l'émergence d'êtres sensibles.

Pourquoi cette différence fondamentale ? peut-on se demander. Il est possible que dans le premier cas la réflexion soit liée à la méthodologie scientifique de base. J'entends par là le réductionnisme, moins en tant que position métaphysique qu'en tant que démarche méthodologique. La démarche scientifique de base est d'expliquer des phénomènes en fonction de leurs éléments constitutifs les plus simples. Comment quelque chose comme la vie peut-il émerger de la non-vie ? Lors de l'une des conférences Mind and Life, à Dharamsala, le biologiste italien Luigi Luisi, qui travaille à Zurich, m'a parlé de la recherche menée par son équipe sur la création de la vie en laboratoire. Car si la théorie scientifique actuelle, selon laquelle la vie trouve son origine dans une configuration complexe de la matière inanimée, si cette théorie est correcte, alors, rien ne nous empêche de créer la vie en laboratoire, une fois toutes les conditions réunies.

Le bouddhisme établit la séparation critique autrement – c'est-à-dire entre la condition d'être sensible et la condition d'être non sensible – parce qu'il est intéressé au tout premier chef par le soulagement de

la souffrance et la quête du bonheur. Dans le bouddhisme, l'évolution du cosmos et l'émergence des
êtres sensibles en son sein – en fait, tout ce qu'englo-
bent effectivement la science physique et la science
de la vie – appartiennent au domaine de la première
des Quatre Nobles Vérités enseignées par le Bouddha
dans son premier sermon. L'énoncé des Quatre
Nobles Vérités, dans le domaine des phénomènes
impermanents, est le suivant : il y a la souffrance ; la
souffrance a une origine ; la cessation de la souffrance est possible ; enfin, il existe une voie qui mène
à la cessation de la souffrance. Selon moi, la science
entre dans le cadre de la première vérité car elle
couvre à la fois le spectre entier de l'environnement
physique – le « contenant » – et les êtres sensibles
– le « contenu ». C'est dans le domaine mental – le
domaine de la psychologie, la conscience, les afflictions et le karma – que nous trouvons la seconde des
vérités, l'origine de la souffrance. La troisième vérité
et la quatrième, la cessation et la voie, se situent
effectivement hors du domaine de l'analyse scientifique. Elles relèvent essentiellement de ce que nous
pourrions appeler la philosophie et la religion.

Cette différence fondamentale entre le bouddhisme
et la science – que la ligne de démarcation soit tracée
entre la condition d'être sensible et non sensible ou
entre organismes vivants et matière inanimée – a d'importantes conséquences. Parmi elles, la manière différente dont les deux traditions d'investigation envisagent la conscience. Pour la biologie, la conscience est
une question secondaire, puisqu'il s'agit d'une caractéristique d'un sous-ensemble des organismes vivants
et non de la totalité de la vie. Dans le bouddhisme, du

fait que la définition de « vivant » s'applique aux êtres sensibles, la conscience est la caractéristique première de la « vie ».

L'hypothèse implicite que j'ai quelquefois trouvée dans la pensée occidentale est que, dans l'histoire de l'évolution, les êtres humains jouissent d'un statut existentiel unique. Ce caractère unique est souvent compris dans le sens d'une sorte d'« âme » ou de « conscience de soi » que seuls les humains possèdent, pense-t-on. De nombreuses personnes semblent supposer implicitement trois stades progressifs dans le développement de la vie : matière inanimée, organismes vivants et êtres humains. Cette vision recouvre l'idée que les êtres humains se rangent dans une catégorie complètement distincte des animaux et des plantes. Au sens strict, ce n'est pas un concept scientifique.

Par contre, si l'on se tournne vers le raisonnement philosophique bouddhique, on y trouve l'idée que les animaux sont plus proches des humains (dans le sens où les deux sont des êtres sensibles) que des plantes. Cette interprétation est fondée sur l'idée qu'il n'existe, dans leur condition d'êtres sensibles, aucune différence entre les humains et les animaux. Les humains souhaitent échapper à la souffrance et recherchent le bonheur ; les animaux également. De la même manière, les humains ont la capacité d'éprouver de la douleur et du plaisir, les animaux également. Philosophiquement parlant, du point de vue bouddhique, les êtres humains et les animaux possèdent ce qui s'appelle en tibétain *shepa* et se traduit approximativement par « conscience », bien qu'à différents degrés de complexité. Le bouddhisme ne reconnaît pas la présence d'une chose telle que l'« âme », propre aux humains. En ce qui concerne la conscience, la différence entre les humains et les animaux est une question de degré et non de nature.

Les plus anciens textes sacrés bouddhiques mentionnent une histoire de l'évolution humaine, relatée ensuite dans de nombreux textes ultérieurs de l'Abhidharma. L'histoire se déroule de la manière suivante. Dans le cosmos bouddhique, l'existence apparaît dans trois mondes différents – le monde du désir, celui de la forme et le monde sans forme –, le dernier étant constitué d'états progressivement plus subtils d'existence. Le monde du désir est caractérisé par l'expérience des désirs sensuels et de la douleur ; c'est celui qu'habitent les humains et les animaux. Le monde de la forme, lui, est exempt de toute expérience manifeste de la douleur et baigne essentiellement dans la félicité. Les êtres qui y vivent possèdent des corps de lumière. Enfin, le monde sans forme transcende complètement toute sensation physique. L'existence y est imprégnée d'une parfaite et constante équanimité, et les êtres y sont entièrement libérés de toute incarnation matérielle. Ils n'existent que sur un plan mental immatériel. Les êtres résidant dans les états supérieurs du monde du désir et dans les mondes de la forme et du sans forme sont décrits comme des êtres célestes. Il est à noter que ces mondes font également partie de la première noble vérité. Ce ne sont pas des états permanents, merveilleux auxquels nous devrions aspirer. Ils s'accompagnent de leur propre souffrance due à l'impermanence.

L'évolution de la vie humaine sur la Terre est conçue comme la « descente » sur Terre de certains de ces êtres célestes qui ont épuisé leur karma positif, lequel leur a fourni la cause et les conditions pour demeurer dans ces mondes supérieurs. Ce n'est pas un péché originel qui a précipité leur chute ; c'est simplement la nature de l'existence impermanente, cause et effet, qui fait qu'un être change d'état, « pour mourir ». Lorsque ces êtres ont fait leur première expérience de la « chute » et sont nés sur Terre, ils conservaient encore des vestiges de leur gloire antérieure. Ces humains de la première époque étaient censés avoir des qualités divines. On dit qu'ils sont apparus par un processus de « naissance spontanée » ; ils étaient physiquement attirants, leur corps était nimbé d'un halo, ils possédaient certains pouvoirs supranormaux, comme voler, et ils subsistaient en se nourrissant de contemplation intérieure. Ils étaient considérés comme exempts des nombreux caractères utilisés pour créer des distinctions en termes d'identité, tels le sexe, la race et la caste.

Avec le temps, dit-on, les humains ont commencé à perdre ces qualités. En se nourrissant d'aliments matériels, leurs corps ont acquis une corporalité plus grossière, donnant ainsi une grande diversité d'apparences physiques. À son tour, cette diversité a conduit à des sentiments de discrimination, en particulier l'animosité envers ceux qui paraissaient différents et l'attachement envers ceux qui étaient semblables, aboutissant à l'émergence de toute une masse d'émotions négatives grossières. En outre, la dépendance à la nourriture matérielle a entraîné la nécessité d'évacuer les déchets du corps et – je ne suis pas sûr de la manière dont le raisonnement s'articule à cet endroit – cette nécessité a conduit à l'émergence des organes sexuels masculin et féminin dans le corps humain. L'histoire se poursuit avec un rapport détaillé de la genèse de tout l'éventail des actions humaines négatives telles que le meurtre, le vol et les mauvaises mœurs.

Au centre de ce récit sur l'évolution humaine figure la théorie des quatre types de naissance selon l'Abhidharma : les êtres sensibles sont apparus sous les formes suivantes (1) nés d'une matrice, comme nous, les humains ; (2) nés d'un œuf, comme les oiseaux et de nombreux reptiles ; (3) nés de la chaleur et de l'humidité, comme de très nombreuses espèces d'insectes ; et (4) nés spontanément, comme les êtres célestes dans les mondes de la forme et du sans forme. Quant à la question de la diversité de la vie, Chandrakirti a exprimé un point de vue bouddhique courant en écrivant : « C'est de l'esprit qu'est issu le monde des êtres sensibles. C'est donc aussi de l'esprit que sont issus les divers habitats des êtres. »

Dans les textes sacrés les plus anciens attribués au Bouddha, nous trouvons des déclarations similaires sur la manière dont l'esprit est, finalement, le créateur de l'univers entier. Certaines écoles bouddhiques ont pris ces déclarations à la lettre et adopté une forme radicale d'idéalisme dans lequel la réalité du monde matériel extérieur est rejetée. Mais, dans l'ensemble, la plupart des penseurs bouddhistes ont plutôt interprété ces déclarations dans le sens suivant : c'est l'activité du karma qui est à l'origine du monde, du moins, du monde des créatures sensibles.

La théorie du karma est d'une importance capitale dans la pensée bouddhique, mais elle est souvent déformée. Littéralement, *karma* signifie « action » et fait référence aux actes intentionnels des êtres sensibles. Ces actes peuvent être physiques, verbaux ou mentaux – ce peut même être simplement des pensées ou des sentiments. Ils ont tous des impacts sur la psyché d'un individu, même s'ils sont infimes. Les intentions produisent des actes, qui produisent des effets conditionnant l'esprit à développer certains traits et tendances, et l'ensemble génère de nouvelles intentions et actions. L'ensemble du processus est perçu comme une dynamique qui se perpétue sans fin. La réaction en chaîne de causes et d'effets imbriqués fonctionne non seulement chez les individus mais aussi dans les groupes et les sociétés, pas simplement au cours d'une seule vie mais au cours de nombreuses vies.

Lorsque nous utilisons le terme *karma*, nous pouvons faire référence à des actes spécifiques et individuels et au principe de cette causalité dans sa totalité. Dans le bouddhisme, cette causalité karmique est considérée comme un processus fondamental et non comme une sorte de mécanisme divin ou de réalisation d'un dessein déterminé. En dehors du karma des êtres sensibles individuels, qu'il soit collectif ou personnel, il est entièrement erroné d'imaginer le karma comme une entité transcendante agissant à la manière d'un dieu dans un système théiste ou comme une loi déterministe qui scelle le destin d'une personne. D'un point de vue scientifique, la théorie du karma peut être perçue comme une hypothèse métaphysique – mais elle ne l'est pas plus que l'hypothèse selon laquelle tout ce qui a trait à la vie est matériel et créé par un pur hasard.

Quant au possible mécanisme par lequel le karma agit sur l'évolution de la condition d'être sensible, je trouve que certaines explications fournies dans les traditions Vajrayana, que les auteurs modernes appellent bouddhisme ésotérique, aident à le comprendre. Selon le tantra Guhyasamaja, tradition essentielle du bouddhisme Vajrayana, on ne peut établir, au niveau le plus fondamental, aucune séparation absolue entre l'esprit et la matière. La matière dans sa forme la plus subtile est *prana*, énergie vitale inséparable de la conscience. Ce sont deux aspects différents d'une même réalité indivisible. *Prana* se caractérise par la mobilité, le dynamisme et la cohésion, la conscience étant proche de la cognition et de la capacité de raisonnement réflexif. Ainsi, selon le tantra Guhyasamaja, ce que nous observons à l'apparition d'un nouveau monde, c'est la réalité en action de cette énergie et de cette conscience.

En raison du caractère inséparable de la conscience et de l'énergie, il existe une très étroite corrélation entre les éléments de nos corps et ceux, naturels, du monde extérieur. Les individus, à un certain niveau de réalisation spirituelle, ou qui, naturellement, possèdent un niveau de perception supérieur, ressentent cette connexion subtile. Par exemple, le penseur tibétain du XVe siècle, Taktsang Lotsawa, a mené une expérience sur lui-même et constaté une concordance totale entre les changements naturels de sa respiration et ceux que décrit le tantra de Kalachakra lors d'un événement tel qu'une éclipse solaire ou lunaire. La pensée bouddhique du Vajrayana interprète cela de la manière suivante : nos corps sont des images microscopiques du monde macroscopique. Dans cette perspective, le tantra de Kalachakra accorde une attention extrême à l'étude des corps célestes et de leurs mouvements ; on trouve effectivement dans ces textes un système astronomique élaboré.

Tout comme je n'ai jamais trouvé sa cosmologie convaincante, je n'ai jamais vraiment été persuadé de la pertinence de l'Abhidharma, qui interprète l'évolution humaine comme une « dégénérescence » progressive. L'un des mythes de création raconte comment les Tibétains ont évolué à partir de l'accouplement d'un singe et d'une ogresse féroce, et, bien sûr, cela ne me convainc pas non plus !

Dans l'ensemble, je pense que la théorie darwinienne de l'évolution, du moins avec l'apport de la génétique moderne, nous présente un exposé assez cohérent de l'évolution de la vie humaine sur Terre. En même temps, je pense que le karma joue un rôle central dans la compréhension de l'origine de ce que le bouddhisme appelle la « condition d'être sensible », résultat de l'action de l'énergie et de la conscience.

En dépit du succès du récit darwinien, je ne crois pas que les éléments de l'histoire soient complets. Pour commencer, quoique la théorie de Darwin présente un exposé cohérent du développement de la vie sur cette planète et des divers principes qui la soustendent, telle la sélection naturelle, je ne suis pas persuadé que cela réponde à la question fondamentale de l'origine de la vie. Je crois comprendre que Darwin lui-même ne considérait pas cela comme une question. En outre, il semble y avoir une certaine circularité dans la notion de « survie des plus aptes ». Selon la théorie de la sélection naturelle, parmi les mutations aléatoires qui modifient les gènes d'une espèce donnée, celles qui favorisent la plus grande chance de survie sont les plus susceptibles de réussir. Cependant, le seul moyen de vérifier cette hypothèse est d'observer les caractéristiques des mutations qui ont survécu. Dans un sens, nous déclarons donc simplement ceci : « Parce que ces mutations génétiques ont survécu, ce sont celles qui avaient la plus grande chance de survie. »

Dans la perspective bouddhique, l'idée que ces mutations puissent être des événements purement aléatoires est profondément insatisfaisante. Elle ne peut suffire à une théorie qui prétend expliquer l'origine de la vie. Karl Popper a exprimé son opinion là-dessus : selon lui, la théorie de l'évolution de Darwin n'explique pas l'origine de la vie sur Terre et ne peut pas l'expliquer. Ce n'est pas une théorie scientifique testable mais plutôt une théorie métaphysique extrêmement utile pour donner une orientation à de nouvelles recherches scientifiques. De plus, la théorie darwinienne, même si elle établit une distinction radicale entre matière inanimée et organismes vivants, échoue à faire la part de façon adéquate entre les organismes vivants, comme les arbres et les plantes, d'un côté, et les créatures sensibles, de l'autre.

L'accent mis par le darwinisme sur la compétition entre individus pour la survie, compétition définie en termes de lutte d'un organisme pour le succès de sa propre reproduction, nous a systématiquement posé, à nous, bouddhistes, le problème empirique suivant : comment expliquer l'altruisme, que ce soit une attitude coopérative, telle que partager la nourriture ou résoudre des conflits chez des animaux comme les chimpanzés, ou des actes d'autosacrifice ? Il y a de nombreux exemples, non seulement chez les êtres humains mais aussi dans d'autres espèces, d'individus qui se mettent en danger pour en sauver d'autres. Par exemple, une abeille pique pour protéger son essaim des intrus, même si elle en meurt après ; ou bien l'oiseau cratérope écaillé se met en danger pour avertir le reste de la volée d'une attaque. La théorie postdarwinienne a tenté d'expliquer ces phénomènes en affirmant que, dans certaines circonstances, un comportement altruiste, y compris l'autosacrifice, augmente les chances pour un individu de transmettre ses gènes aux générations futures. Néanmoins, je ne pense pas que cet argument s'applique à des cas où, d'après ce que j'ai entendu, des comportements altruistes ont lieu entre espèces différentes. À titre d'exemple, on peut citer les oiseaux hôtes qui sèvrent et élèvent des poussins de coucous placés dans leur nid, même si certains ont expliqué ce phénomène en termes exclusifs de profit égoïste tiré par les coucous. De surcroît, parce que ce type d'altruisme ne semble pas toujours volontaire – certains organismes semblent programmés pour agir avec abnégation –, la biologie moderne concevrait l'altruisme comme avant tout instinctif et dicté par les gènes. Le problème devient encore plus complexe avec la question de l'émotion humaine, en particulier avec les nombreux exemples d'altruisme dans la société humaine.

Certains darwiniens plus dogmatiques ont suggéré qu'on comprend mieux les notions de sélection naturelle et de survie des plus aptes au niveau des gènes individuels. Ici, nous observons la réduction d'une forte conviction métaphysique en un principe d'intérêt égoïste de façon à suggérer que, d'une certaine manière, des gènes individuels se comportent de manière égoïste. J'ignore combien de scientifiques ont aujourd'hui adopté des points de vue radicaux de ce type. Dans sa forme actuelle, le modèle biologique ne prend pas en compte la possibilité d'un altruisme réel.

Lors d'une des conférences Mind and Life à Dharamsala, Anne Harrington, historienne des sciences à Harvard, a présenté une communication mémorable : elle y exposait le fait que l'investigation scientifique du comportement humain n'avait pas jusque-là réussi à élaborer une explication systématique de l'émotion puissante qu'est la compassion, et elle tentait dans une certaine mesure d'en donner les raisons. En psychologie moderne du moins, comparé à l'énorme attention accordée aux émotions négatives, comme l'agression, la colère et la peur, des émotions plus positives comme la compassion et l'altruisme ont été relativement peu étudiées. Ce déséquilibre est peut-être dû au fait que la psychologie moderne a eu pour objectif premier de comprendre les pathologies humaines à des fins thérapeutiques. Cependant, j'ai vraiment le sentiment qu'il est inacceptable de rejeter l'altruisme sous prétexte que des actes désintéressés ne cadrent pas avec la compréhension que la biologie a aujourd'hui de la vie. Pas plus qu'on ne peut accepter de simplement redéfinir ces actes comme une expression de l'intérêt personnel des espèces. Cette position est contraire à l'esprit même de l'investigation scientifique. Telle que je la comprends, la démarche scientifique ne consiste pas à modifier les faits empiriques pour qu'ils correspondent à sa théorie ; c'est plutôt la théorie qui doit s'adapter aux résultats de l'investigation empirique. Sinon, cela équivaudrait à tenter de modifier la forme de ses pieds pour qu'ils entrent dans des chaussures.

Il me semble que cette incapacité ou cette mauvaise volonté à travailler la question de l'altruisme est sans doute le défaut majeur de la théorie darwinienne, du moins dans sa version populaire. Dans le monde naturel, supposé être à la source de la théorie de l'évolution, tout comme on observe la compétition pour la survie entre espèces (ainsi qu'au sein d'une même espèce), on peut trouver des exemples de profonde coopération (pas nécessairement au sens conscient du terme). De la même manière, il existe des actes d'altruisme et de compassion aussi bien que d'agression chez les animaux et les humains. Pourquoi la biologie moderne n'accepte-t-elle que la compétition comme seul principe opératoire fondamental et l'agression comme seul trait fondamental des êtres vivants ? Pourquoi rejette-t-elle la coopération et ne voit-elle pas dans l'altruisme et la compassion des traits de développement du vivant ?

Dans quelle mesure nous devrions fonder la totalité de notre conception de la nature et de l'existence humaines sur la science dépend, je suppose, de la conception que nous avons d'elle. Pour moi, il ne s'agit pas d'une question scientifique mais de conviction philosophique. Pour un matérialiste radical, la théorie de l'évolution peut suffire à expliquer tous les aspects de la vie humaine, y compris la moralité et l'expérience religieuse, mais, pour d'autres, la science occupera un champ plus limité quand il s'agira de comprendre la nature de l'existence humaine. Il est bien possible que la science ne parvienne jamais à nous raconter totalement l'histoire de l'homme ni à répondre à la question de l'origine de la vie. Il ne s'agit pas de nier que la science a et aura beaucoup à dire à propos de l'origine de l'immense diversité du vivant. Mais il faut accepter un certain degré d'humilité. J'en suis convaincu, la société doit prendre en considération les limites de notre savoir scientifique sur nous-mêmes et sur notre monde.

Si l'histoire du XXe siècle – et la croyance répandue dans le darwinisme social, qui a conduit à de terribles tentatives d'eugénisme – doit nous enseigner une chose, c'est que nous, humains, avons une dangereuse tendance à transformer nos visions de nous-mêmes en prophéties autoréalisatrices. L'idée de la « survie des plus aptes » a été utilisée à mauvais escient pour excuser, et dans certains cas justifier, une avidité et un individualisme excessifs. Elle a permis d'ignorer une éthique de la relation à nos semblables plus empreinte de compassion. Ainsi, quelles que soient nos conceptions de la science, du fait de la place influente qu'elle occupe aujourd'hui dans la société, il est extrêmement important que les membres de cette profession soient conscients de leur pouvoir et de leur responsabilité. La science doit rectifier les idées fausses et éviter que ses propres concepts ne soient dévoyés, ce qui pourrait avoir des conséquences désastreuses pour le monde et l'humanité en général.

Même si l'exposé darwinien des origines de la vie peut paraître convaincant, je trouve, en tant que bouddhiste, qu'il n'a pas abordé un aspect essentiel. À savoir l'origine de la condition d'être sensible – l'évolution d'êtres conscients qui ressentent douleur et plaisir. Car, dans une perspective bouddhique, la quête pour la connaissance et la compréhension de l'existence humaine est liée en fin de compte à l'aspiration profonde au bonheur et à la victoire sur la souffrance. Tant qu'il n'y aura pas d'explication crédible de la nature et de l'origine de la conscience, l'histoire scientifique des origines de la vie et du cosmos restera incomplète.

6

La question de la conscience

La joie de rencontrer quelqu'un que vous aimez, la tristesse de perdre un ami proche, la richesse d'un rêve frappant, la sérénité d'une promenade dans un jardin un jour de printemps, l'absorption totale liée à un état profond de méditation – ces choses et d'autres du même type constituent la réalité de notre expérience de la conscience. Aucune personne sensée ne douterait de la réalité d'une de ces expériences quelle qu'elle soit, indépendamment de son contenu. Toute expérience de la conscience – de la plus superficielle à la plus élevée – possède une certaine cohérence et, en même temps, un degré élevé d'intimité. Autrement dit, elle n'existe qu'à partir d'un point de vue particulier. L'expérience de la conscience est entièrement subjective. Il y a cependant un paradoxe : après des milliers d'années d'examen philosophique et en dépit du fait qu'on se soit rendu compte de l'indubitable réalité de notre subjectivité, le consensus reste faible pour dire ce qu'elle est. La science, avec sa méthode caractéristique dite « à la tierce personne » – adopter une perspective objective à partir de l'extérieur –, a incroyablement peu avancé dans sa compréhension de la conscience.

Cependant, il est clair qu'elle est en passe de devenir un des plus passionnants domaines de l'investigation scientifique. Reste que la science moderne n'a pas encore élaboré une méthodologie complète pour mener à bien son étude. Ce n'est pas qu'il n'y ait pas eu de théories philosophiques, ou qu'on ne se soit pas efforcé d'« expliquer » la conscience en termes de paradigmes matériels. À un extrême, il y a eu le point de vue du behaviorisme, qui a tenté de définir la conscience comme un langage du comportement extérieur, réduisant ainsi les phénomènes mentaux à une action verbale et corporelle. À l'autre extrême, le dualisme cartésien a soutenu qu'il y a dans le monde deux choses indépendantes et bien réelles – la matière, caractérisée par son extension, et l'esprit, vu comme une substance immatérielle telle que l'« âme ». Entre ces deux extrêmes, on trouve toutes sortes de théories, du fonctionnalisme (qui tente de définir la conscience en termes fonctionnels) à la neurophénoménologie (et ses corrélats neuronaux). La plupart d'entre elles envisagent la conscience en termes relevant du monde matériel.

Mais qu'en est-il de l'observation directe de la conscience ? Quelles sont ses caractéristiques et comment fonctionne-t-elle ? Est-elle commune à tout le vivant (plantes aussi bien qu'animaux) ? Notre vie consciente se limite-t-elle aux moments où nous savons que nous sommes conscients, et ne s'étend-elle donc pas au sommeil sans rêves, où la conscience est dormante, voire annihilée ? Est-elle composée d'une séquence d'instants présentant une fluctuation

mentale, ou bien est-elle continue mais continuellement changeante ? La conscience est-elle une affaire
de degré ? Nécessite-t-elle toujours un objet – quelque
chose *dont* on soit conscient ? Quelle est sa relation à
l'inconscient – non seulement la corrélation entre
événements électrochimiques inconscients du cerveau et processus mentaux mais également les désirs,
les souvenirs et les attentes, plus complexes et sans
doute problématiques ? Vu la nature hautement subjective de notre expérience de la conscience, est-il
possible de l'interpréter scientifiquement – dans le
sens d'une explication objective, à la tierce personne ?

Cette question de la conscience a énormément retenu
l'attention de la pensée philosophique bouddhique au
cours de sa longue histoire. Le bouddhisme, du fait
de la priorité qu'il accorde aux questions d'éthique,
de spiritualité et de suppression de la souffrance, lui
accorde une grande importance. La conscience est en
effet considérée comme une caractéristique spécifique
de la condition d'être sensible. Selon les anciens
textes sacrés, le Bouddha donnait à la conscience un
rôle déterminant dans le bonheur et la souffrance des
humains. Ainsi, il commence son célèbre discours,
connu sous le titre de *Dhammapada*, en disant que
l'esprit est primordial et pénètre toute chose.

Avant de poursuivre, il est important de souligner
que le langage qui sert à décrire l'expérience subjective peut nous poser des problèmes. L'expérience de
la conscience est universelle mais nos langages, eux,
sont enracinés dans des contextes culturels, historiques et linguistiques disparates. Ces derniers correspondent à des cadres cognitifs différents – cartogra-

phie conceptuelle différente, pratiques linguistiques diverses, héritage philosophique et spirituel varié... Les langues européennes occidentales en fournissent un bon exemple : elles parlent de « conscience », d'« esprit », de « phénomènes mentaux » et de « connaissance ». En philosophie bouddhique, on parle de *lo* (*buddhi* en sanscrit), *shepa* (*jñana*) et *rigpa* (*vidya*) – tous approximativement traduits par connaissance ou « intelligence » au sens le plus large du terme. Les philosophes bouddhistes parlent aussi de *sem* (*citta* en sanscrit), « esprit » en français ; *namshe* (*vijnana* en sanscrit), « conscience » ; et *yi* (*manas* en sanscrit), « mental » ou « états mentaux ».

Le mot tibétain *namshe*, ou son équivalent sanscrit, *vijnana*, souvent traduit par « conscience », a en fait un champ d'application plus large que le terme français. Il recouvre en effet non seulement toute la gamme des expériences conscientes mais aussi les forces faisant partie intégrante de ce que l'on appelle l'inconscient en psychanalyse. En outre, le mot tibétain *sem* (sanscrit *citta*), correspondant à « esprit », ne recouvre pas simplement le domaine de la pensée mais aussi celui de l'émotion. Il est possible de parler sans confusion excessive des phénomènes de la conscience, mais il nous faut quand même tenir compte des limites de nos termes linguistiques respectifs.

La description des expériences subjectives de la conscience nous pose en effet un problème complexe. Nous risquons d'objectiver ce qui est essentiellement un ensemble d'expériences intérieures et d'exclure l'indispensable présence de l'expérimentateur. Nous ne pouvons nous retirer de l'équation. Aucune description scientifique des mécanismes neuronaux impliqués dans la discrimination des couleurs ne peut faire comprendre l'effet que cela produit de percevoir, disons, la couleur rouge. Cette investigation est unique : notre objet d'étude est mental, son examen est mental et le moyen d'étude est mental. Cette situation ne pose-t-elle pas un problème insurmontable du point de vue scientifique, au point de semer un sérieux doute sur la validité de l'investigation ?

Nous avons tendance à faire comme si le monde mental était homogène – une sorte d'entité monolithique appelée « esprit » –, mais, lorsque nous l'examinons de plus près, nous comprenons que cette approche est trop simpliste. L'expérience que nous faisons de la conscience nous montre qu'elle est constituée de myriades d'états mentaux extrêmement variés et souvent intenses. D'un côté, il y a des états clairement cognitifs, comme la croyance, la mémoire, la reconnaissance et l'attention. De l'autre, des états clairement affectifs, comme les émotions. Une autre catégorie semble avoir pour fonction essentielle de nous motiver pour l'action. Elle comprend la volition, la volonté, le désir, la peur et la colère. Et, à l'intérieur de ces états cognitifs, nous pouvons même distinguer les perceptions sensorielles telles que la perception visuelle, dans laquelle la relation aux objets possède un caractère certain d'immédiateté, des processus de pensée conceptuels, comme l'imagination ou le souvenir d'un objet, ces derniers n'exigeant pas la présence de l'objet pas plus qu'ils ne dépendent du rôle actif des sens.

La philosophie bouddhique de l'esprit prend en compte ces diverses typologies de phénomènes mentaux ainsi que de leurs caractéristiques. Elle distingue ainsi la typologie sextuple suivante : expériences de la vue, de l'ouïe, de l'odorat, du goût, du toucher et les états mentaux. Les cinq premiers correspondent à des expériences sensorielles quand le dernier recouvre un large éventail d'états mentaux, allant de la mémoire, la volonté et la volition jusqu'à l'imagination. Les états mentaux dépendant des cinq sens sont contingents des facultés sensorielles considérées comme matérielles, tandis que les expériences mentales jouissent d'une plus grande indépendance par rapport au physique.

Une branche de l'école Yogacara y ajoute deux états, ce qui en fait une typologie octuple. Selon elle, la perception mentale est trop transitoire et trop contingente pour expliquer la profonde unité de notre expérience subjective et notre sens de l'individualité. Nécessairement, selon cette école, il existe un esprit fondamental sous-jacent à tous ces états mentaux fluctuants et contingents, qui lui confère son intégrité et présente un continuum durant toute la vie. Il s'agit d'une « conscience fondamentale », à la base de tous les phénomènes mentaux. Inséparable de cette conscience fondamentale est la pensée instinctive du « Je suis », pensée que le Yogacara voit comme un courant de conscience distinct.

Cette typologie est rejetée par l'école de la Voie du milieu, généralement considérée par les penseurs tibétains (j'en fais partie) comme l'apex de la pensée bouddhique tibétaine. Pour cette école, la typologie sextuple couvre correctement tout le spectre de la conscience, et les implications potentiellement essentialistes de la « conscience fondamentale » du système octuple ne sont pas défendables.

La question se pose de savoir ce qui « définit cette diversité de phénomènes comme appartenant à une seule famille d'expériences, que nous appelons "mental" ». Je garde un souvenir très vif de ma première leçon d'épistémologie, quand j'étais enfant. J'ai dû mémoriser cette définition : « Le mental est ce qui est lumineux et connaissant. » Définition puisée dans des sources indiennes antérieures par les penseurs tibétains. Il m'a fallu des années pour comprendre à quel point le problème philosophique au cœur de cette simple formulation était complexe. Lorsque je vois aujourd'hui des moines de neuf ans citer avec assurance cette définition de la conscience au cours d'un débat, exercice essentiel dans l'éducation monastique tibétaine, je souris.

Ce sont ces deux traits – luminosité ou clarté et connaissance ou conscience – qui caractérisent le « mental » dans la pensée bouddhique indo-tibétaine. *Clarté* fait référence à la capacité des états mentaux à révéler ou réfléchir ; *connaissance*, en revanche, à celle de percevoir ou d'appréhender ce qui apparaît. Tous les phénomènes dotés de ces qualités sont considérés comme mentaux. Ce n'est pas facile à conceptualiser, mais nous traitons ici, il est vrai, de phénomènes intérieurs et subjectifs et non d'objets matériels mesurés dans l'espace et le temps. C'est sans doute en raison de ces difficultés – des limites du langage pour traiter du subjectif – que de nombreux textes bouddhiques anciens expliquent la nature de la conscience en employant des métaphores comme la lumière ou le cours d'un fleuve. Comme la caractéristique principale de la lumière est d'illuminer, on dit que la conscience illumine ses objets. Et de la même façon qu'aucune distinction n'est faite, dans la lumière, entre l'illumination et ce qui illumine, de même, dans la conscience, il n'y a pas de différence réelle entre le processus de connaissance, ou cognition, et ce qui connaît ou a conscience. Dans la conscience, comme dans la lumière, se trouve une qualité d'illumination.

Parce que les phénomènes mentaux, selon l'interprétation bouddhique, possèdent ces deux caractéristiques spécifiques que sont la luminosité et la connaissance, on pourrait penser, à tort, que le bouddhisme propose une autre version du dualisme cartésien : il existerait deux substances indépendantes, l'une appelée « matière » et l'autre « esprit ». Je veux ici faire une petite digression pour éviter toute confusion. Je rappellerai que la philosophie bouddhique établit ainsi la classification fondamentale de la réalité : le monde des choses conditionnées, dans lequel nous vivons, possède trois aspects fondamentalement distincts :

1. La matière – les objets physiques.
2. L'esprit – les expériences subjectives.
3. Les réalités composites abstraites – les formations mentales.

Concernant le monde de la matière et les caractéristiques clés des phénomènes matériels, la pensée bouddhique est très peu éloignée de la science moderne. Le consensus est large entre les deux traditions d'investigation. Des propriétés, telles que l'extension, la localité spatio-temporelle, etc., en sont des traits caractéristiques. Du point de vue bouddhique, appartiennent aussi à cette première sphère de la réalité des phénomènes tels que les particules subtiles, les divers champs (électromagnétiques) et les forces naturelles (gravité). Cependant, la réalité ne s'arrête pas là.

Existe aussi la sphère des expériences subjectives telles que nos processus de pensée, perceptions sensorielles, nos sensations et le riche tissu de nos émotions. Dans une perspective bouddhique, des êtres sensibles autres que les humains la connaissent aussi en grande partie. Ce domaine mental a beau être fortement contingent d'une base physique – réseaux neuronaux, cellules du cerveau et facultés sensorielles, entre autres –, cela ne l'empêche pas de jouir d'un statut différent de celui du monde de la matière. Il ne s'y réduit pas, bien qu'il en dépende pour fonctionner. À l'exception d'une école matérialiste indienne, la plupart des anciennes écoles philosophiques indiennes et tibétaines sont d'accord là-dessus : il n'est pas possible de réduire le domaine mental à un sous-ensemble du domaine physique.

Quant au troisième domaine de la réalité, les composites abstraits, ils ne sont ni physiques (à base de constituants matériels) ni mentaux (des expériences subjectives intérieures). Il s'agit de phénomènes qui font partie intégrante de notre compréhension du monde, tels que le temps, les concepts et les principes logiques (constructions de notre esprit). Et même s'ils sont contingents soit du premier domaine (physique), soit du second (mental), ils possèdent des caractéristiques distinctes qui les font appartenir au troisième.

Je crois savoir que cette taxonomie de la réalité, qui remonte aux premières phases de la tradition philosophique bouddhique, est presque identique à celle proposée par Karl Popper. Popper a appelé ces catégories de mondes le « premier monde », le « deuxième monde » et le « troisième monde ». Il entendait par là (1) le monde des choses ou objets physiques ; (2) le monde des expériences subjectives, incluant les processus de pensée ; et (3) le monde des formulations (d'idées, de théories) en elles-mêmes – les contenus de pensée par opposition au processus mental. Il est frappant que Popper, qui, je le sais, ne connaissait pas la pensée bouddhique, ait abouti à une classification quasi identique des catégories de la réalité. Si, à l'époque où je l'ai rencontré, j'avais connu cette curieuse convergence entre sa pensée et le bouddhisme, j'aurais certainement abordé le sujet avec lui.

C'est uniquement en termes de fonctionnement du cerveau que, dans l'ensemble, la philosophie et la science occidentales ont tenté de comprendre la conscience. Selon cette démarche, la nature et l'existence de l'esprit sont fondées sur la matière, d'une manière ontologiquement réductionniste. Certains voient dans le cerveau un modèle informatique et raisonnent en termes d'intelligence artificielle ; d'autres préfèrent le modèle évolutionniste et voient dans la conscience une propriété émergente du cerveau. Les neurosciences modernes posent des questions profondes : l'esprit et la conscience sont-ils autre chose que de simples opérations du cerveau ? Les sensations et les émotions sont-elles plus que des réactions chimiques ? Dans quelle mesure le monde de l'expérience subjective dépend-il du *hardware* et de l'état de fonctionnement du cerveau ? Même si ce doit être le cas, dans une certaine mesure, peut-on considérer que c'est entièrement ainsi que ça se passe ? Quelles sont les causes nécessaires et suffisantes permettant l'émergence d'expériences mentales subjectives ?

De nombreux scientifiques, en particulier les neurobiologistes, admettent que la conscience est un processus physique particulier qui émerge de la structure et de la dynamique du cerveau. Je garde un vif souvenir de la discussion que j'ai eue avec certains d'entre eux, dans une faculté de médecine américaine de haut niveau. D'abord, ces scientifiques m'ont aimablement montré les derniers instruments scientifiques d'exploration du cerveau humain, tels que l'IRM (l'imagerie par résonance magnétique) et l'EEG (électroencéphalographe), et fait assister à une opération (avec l'autorisation de la famille). Puis nous avons discuté de la façon dont la science appréhende aujourd'hui la conscience. Je dis à l'un d'eux qu'il me semblait tout à fait évident que nombre de nos expériences subjectives comme la perception et la sensation étaient dues à des modifications chimiques du cerveau. Mais ensuite je lui ai demandé si on pouvait envisager une inversion de ce processus causal. « Peut-on postuler que la pensée pure, elle-même, modifierait la chimie du cerveau ? » Conceptuellement, du moins, pouvons-nous envisager la possibilité d'une causalité fonctionnant dans les deux sens ?

Sa réponse fut tout à fait surprenante. Puisque tous les états mentaux émergent d'états physiques, dit-il, une causalité inverse est impossible. Par politesse, je n'ai pas réagi. Mais j'ai pensé et je pense toujours qu'aucune base scientifique n'étaie cette affirmation catégorique. Le point de vue suivant lequel tous les processus mentaux sont obligatoirement issus de processus physiques est une hypothèse métaphysique, et non un fait scientifique. Pour respecter l'esprit d'investigation scientifique, il est essentiel, selon moi, de laisser cette question ouverte et de ne pas confondre nos suppositions avec un fait empirique.

J'aimerais faire une autre remarque : certains scientifiques et philosophes semblent croire qu'on pourrait expliquer la conscience en prenant la physique quantique comme base de la pensée scientifique. Je me souviens d'avoir eu quelques entretiens avec David Böhm sur sa théorie de l'« ordre implicite », dans laquelle la matière et la conscience se manifestent selon les mêmes principes. En raison de cette nature commune, dit-il, il n'est pas surprenant de trouver une grande similarité d'ordre entre la pensée et la matière. Je n'ai jamais totalement compris la théorie de la conscience de Böhm, mais l'accent mis sur une interprétation holistique de la réalité – incluant l'esprit et la matière – suggère une voie de recherche pour une interprétation globale du monde.

En 2002, à l'université de Canberra, en Australie, j'ai eu des discussions avec plusieurs scientifiques sur le thème de l'inconscient. L'astrophysicien Paul Davies a affirmé qu'il était possible de formuler une théorie quantique de la conscience. Je dois admettre que chaque fois qu'une explication quantique de la conscience est avancée, je m'y perds complètement. La physique quantique, parce que ses notions défient la logique (non-localité, superposition des propriétés d'onde et de particule et principe d'incertitude de Heisenberg), peut proposer, c'est concevable, une vision plus profonde de certains aspects de l'activité cognitive. Pourtant, je ne vois vraiment pas comment une théorie quantique pourrait faire mieux qu'une interprétation classique des processus cérébraux physiques. La seule différence réside dans la subtilité des bases physiques mises en corrélation avec l'expérience de la conscience. Pour moi, du moins, tant qu'on n'aura pas complètement compris l'expérience subjective de la conscience, il y aura toujours un immense fossé entre notre compréhension des processus physiques dans le cerveau et celle de la conscience.

La neurobiologie a magnifiquement réussi à cartographier le cerveau et ses différentes zones. C'est un processus fascinant, et les résultats sont extrêmement intéressants. Pourtant, même avec ces données, dire dans quelle zone du cerveau résiderait la conscience (si tant est qu'elle existe) demeure sujet à controverse. Certains ont suggéré le cervelet, d'autres, la formation réticulaire, d'autres encore l'hippocampe. Mais, même s'ils ne sont pas d'accord entre eux, il semble que les neurobiologistes partagent largement l'hypothèse que la conscience s'explique en termes de processus neurobiologiques.

Sous-jacente se trouve la certitude que tous les états mentaux, cognitions et sensations, sont corrélés à des processus cérébraux. Avec l'invention de nouveaux instruments puissants, la connaissance par les neurobiologistes de la corrélation entre diverses activités cognitives et les processus cérébraux a atteint des niveaux étonnants. Par exemple, lors d'une des conférences Mind and Life, le psychologue Richard Davidson a présenté une description détaillée de la manière dont de nombreuses émotions « négatives », comme la peur et la haine, semblent être intimement associées à une partie du cerveau appelée amygdale. L'association entre ces états émotionnels et cette partie du cerveau est si forte que, chez les patients dont le cerveau a été endommagé dans cette région, des émotions comme la peur et l'appréhension sont absentes, dit-on.

Je me souviens d'avoir fait l'observation que, si les expériences avaient démontré de manière concluante que neutraliser cette partie du cerveau n'aurait aucune conséquence préjudiciable pour l'individu, l'excision de l'amygdale pourrait donc s'avérer une pratique spirituelle des plus efficaces ! Bien sûr, ce n'est pas si simple. Outre le fait de fournir une base neuronale à nos émotions négatives, l'amygdale joue d'autres rôles importants, comme la détection du danger, sans laquelle nous serions handicapés dans bien des situations.

Malgré le succès énorme qu'elles rencontrent dans leur observation des corrélations étroites entre certaines zones du cerveau et certains états mentaux, je ne pense pas que les neurosciences détiennent actuellement une véritable explication de la conscience elle-même. Elles peuvent probablement nous dire que, lorsqu'on observe une activité dans telle ou telle partie du cerveau, le sujet se trouve sans doute dans tel ou tel état cognitif. Mais nous ne savons pas encore pourquoi il en est ainsi. En outre, elles n'expliquent pas, et ne pourraient probablement pas le faire, pourquoi, lorsque telle ou telle activité cérébrale a lieu, le sujet vit telle ou telle expérience. Par exemple, lorsqu'un sujet perçoit la couleur bleue, aucune somme d'explications neurobiologiques ne pourra rendre compte de la totalité de l'expérience. L'impression que cela fait de voir du bleu lui échappera toujours. De même, un neuroscientifique peut nous dire qu'un sujet est en train de rêver, mais une explication neurobiologique décrira-t-elle le contenu du rêve ?

On peut toutefois établir une distinction entre les neurosciences comme suggestion méthodologique et l'hypothèse métaphysique selon laquelle l'esprit n'est rien de plus qu'une fonction ou une propriété émergente de la matière. Mais supposer que l'esprit est réductible à la matière laisse une béance explicative. Comment expliquer l'émergence de la conscience ? Qu'est-ce qui marque la transition des êtres non sensibles aux êtres sensibles ? Un modèle évolutionniste à complexité croissante, fondé sur la sélection naturelle, n'est qu'une simple hypothèse descriptive, une sorte d'euphémisme pour « mystère » et non une explication satisfaisante.

Pour comprendre le concept bouddhique de conscience – et son rejet de la réductibilité de l'esprit à la matière –, la théorie de la causalité est essentielle. La question de la causalité constitue depuis longtemps un thème essentiel dans l'analyse philosophique et contemplative bouddhique. Le bouddhisme propose deux catégories principales de causes, la « cause substantielle » et la « cause contributrice ou complémentaire ». Prenons l'exemple d'un pot en argile. La cause substantielle est la « matière » qui se transforme en un objet particulier, en l'occurrence, l'argile qui devient un pot. En revanche, tous les autres facteurs qui contribuent à créer ce pot – tels que l'habileté du potier, le potier lui-même et le four où a cuit l'argile – demeurent complémentaires en ce qu'ils permettent à l'argile de se transformer en pot. Cette distinction entre la cause substantielle et la cause contributrice d'un événement ou d'un objet donné est de la plus haute importance pour comprendre la théorie bouddhique de la conscience. Selon le bouddhisme, bien que la conscience et la matière contribuent à leur origine réciproque, l'une ne devient jamais la cause substantielle de l'autre.

En fait, c'est en partant de cette prémisse que des penseurs bouddhistes, comme Dharmakirti, ont soutenu rationnellement que la théorie de la réincarnation était défendable. L'argument de ce dernier peut être formulé comme suit : la conscience du nouveauné provient d'une occurrence précédente de cognition, qui est une occurrence de conscience tout comme l'instant présent de conscience.

Les diverses occurrences de conscience dont nous faisons l'expérience naissent de l'existence d'occurrences précédentes de conscience, argumente-t-il ; et puisque la nature de la matière et celle de la conscience sont totalement différentes, le premier instant de conscience d'un nouvel être doit être précédé de sa cause substantielle, qui doit être un instant de conscience. Ainsi prouve-t-il l'existence d'une vie antérieure.

D'autres penseurs bouddhistes, comme Bhavaviveka au vi^e siècle, ont tenté de défendre la thèse de la préexistence en s'appuyant sur les instincts habituels, comme la connaissance du veau nouveau-né qui sait instinctivement où trouver le pis de sa mère et la manière de téter le lait. Selon eux, il est impossible d'expliquer de façon cohérente le phénomène de la « connaissance innée » à moins d'admettre une forme de préexistence.

Que ces arguments soient ou non recevables, il faut remarquer qu'il existe de nombreux exemples de très jeunes enfants ayant apparemment des souvenirs de « vies antérieures », sans compter les multiples souvenirs de Bouddha de ses propres vies antérieures que l'on trouve dans les textes sacrés. Je me souviens du cas étonnant d'une jeune fille de Kanpur, dans l'État indien de l'Uttar Pradesh, au début des années 1970. Bien qu'au départ ses parents aient rejeté les descriptions très précises que la fillette faisait de la présence d'un autre père et d'une autre mère dans un autre endroit, ses récits étaient si concrets qu'ils ont fini par la faire prendre au sérieux. Lorsque les deux personnes dont elle disait qu'ils étaient ses parents dans sa vie antérieure vinrent la voir, elle leur donna des détails précis de la vie de leur fille décédée que seul un parent très proche aurait pu connaître. À la suite de quoi, lorsque je la rencontrai, les deux autres parents l'avaient totalement adoptée comme membre de leur famille. Cela n'est qu'une preuve anecdotique, mais on ne peut écarter facilement ces phénomènes.

Des volumes entiers ont été écrits sur l'analyse de cette forme de raisonnement bouddhique, dont les aspects techniques sortent du cadre de la discussion présente. Je voudrais faire remarquer qu'il est clair que Dharmakirti ne pensait pas la théorie de la réincarnation comme une simple affaire de foi. Il pensait qu'elle pouvait être classée dans ce qu'il décrivait comme des phénomènes « légèrement cachés » susceptibles d'être vérifiés par déduction.

Il faut comprendre que la perspective personnelle joue un rôle crucial dans l'étude de la conscience, contrairement à celle du monde physique. Ce dernier et ses phénomènes (hors la mécanique quantique) se prêtent bien au système scientifique dominant et à la méthode d'investigation objective de la tierce personne. Dans l'ensemble, nous sentons que l'explication scientifique n'exclut aucun élément clé. En revanche, quand il s'agit d'expériences subjectives, l'histoire est complètement différente. Lorsque nous écoutons un exposé « objectif » sur des états mentaux, purement de la tierce personne, que ce soit une théorie psychologique cognitive, une explication neurobiologique ou une théorie évolutionniste, nous sentons qu'une dimension essentielle du sujet a été omise. Je parle de l'aspect phénoménologique du mental, autrement dit, de l'expérience subjective de l'individu.

Même après une discussion aussi brève, il est, je pense, évident que la méthode de la tierce personne – qui a si bien servi la science dans de nombreux domaines – est ici inappropriée. Si la science veut expliquer la conscience, et étudier sa nature, il ne faut rien de moins qu'un changement de paradigme. Que la perspective de la tierce personne, où les phénomènes sont mesurés du point de vue d'un observateur indépendant, soit intégrée à celle à la première personne. Alors entreront en ligne de compte la subjectivité et les qualités caractéristiques de l'expérience de la conscience. Ce que je suggère, c'est que la méthode d'investigation soit absolument appropriée à l'objet de l'investigation. L'une des caractéristiques principales de la conscience étant sa nature subjective et reliée à l'expérience, toute étude systématique doit adopter une méthode qui donne accès à cette dimension de subjectivité et d'expérience.

Pour une étude scientifique complète de la conscience, les deux méthodes (de la tierce personne et à la première personne) sont nécessaires : la réalité phénoménologique de l'expérience subjective ne peut être ignorée, mais toutes les règles de la rigueur scientifique doivent être respectées. La question essentielle est donc la suivante : « Pouvons-nous concevoir une méthodologie scientifique appliquée à l'étude de la conscience dans laquelle seront combinées une étude du cerveau aussi objective que possible et une étude sérieuse à la première personne, qui rende complètement justice à la phénoménologie de l'expérience ? »

Je pense que la science moderne et la tradition contemplative du bouddhisme pourraient ici profiter l'une de l'autre. Depuis très longtemps, le bouddhisme pratique l'investigation sur la nature de l'esprit et ses divers aspects – c'est effectivement ce en quoi consistent la méditation bouddhique et son analyse critique. Contrairement à la science moderne, le bouddhisme a adopté essentiellement une démarche fondée sur l'expérience du sujet à la première personne. La méthode contemplative, comme l'a développée le bouddhisme, consiste en une utilisation empirique de l'introspection qui s'appuie sur un entraînement technique rigoureux et une expérimentation solide. Pour qu'une expérience subjective de méditation soit jugée valide, il faut qu'un pratiquant puisse la réitérer et que n'importe quel autre puisse aussi, par la même pratique, atteindre le même état.

S'ils sont ainsi vérifiés, ces états seront considérés comme universels, du moins pour les êtres humains.

L'interprétation bouddhique de l'esprit est essentiellement dérivée d'observations empiriques fondées sur la phénoménologie de l'expérience, qui inclut les techniques contemplatives de méditation. C'est sur cette base que s'élaborent les modèles du fonctionnement de l'esprit, qui sont ensuite soumis à une analyse critique et philosophique soutenue et à une expérimentation empirique au moyen de la méditation et de l'observation attentive. Pour observer comment nos perceptions fonctionnent, nous entraînons notre esprit à se montrer attentif aux apparitions et aux disparitions des processus de perception, instant après instant. C'est une façon empirique d'acquérir la connaissance directe d'un certain aspect du fonctionnement de l'esprit. Nous pouvons nous en servir pour réduire les effets des émotions comme la colère ou la rancune (c'est ce que souhaitent d'ailleurs obtenir les pratiquants de la méditation dans le but de vaincre l'affliction mentale), mais ce qui m'importe ici, c'est de dire qu'il s'agit d'une méthode empirique d'accès à notre esprit, à la première personne.

Je suis bien conscient de la profonde suspicion que la science moderne manifeste vis-à-vis de cette méthode. J'ai appris qu'en Occident l'introspection avait été abandonnée en tant que méthode d'étude de l'esprit en psychologie, vu la difficulté d'élaborer des critères objectifs permettant de trancher entre les affirmations différentes de chaque individu. Méfiance entièrement compréhensible quand on connaît la prédominance acquise par la méthode scientifique (dite de la tierce personne) en tant que paradigme d'accès à la connaissance.

Je suis d'accord avec le psychologue de Harvard, Stephen Kosslyn, qui a effectué des recherches pionnières sur le rôle de l'introspection dans l'imagination ; lors d'une récente conférence Mind and Life intitulée « Explorer l'esprit », il a insisté sur l'obligation de reconnaître les frontières naturelles de l'introspection. Même pour une personne fortement entraînée, a-t-il rappelé, il n'est pas possible de prouver que l'introspection est capable de révéler la complexité des réseaux de neurones et la composition biochimique du cerveau humain, ou les corrélats physiques d'activités mentales spécifiques – tâches effectuées de façon extrêmement précise par l'observation empirique en utilisant de puissants instruments. Cependant, une utilisation disciplinée de l'introspection serait tout à fait adaptée à l'étude des aspects psychologiques et phénoménologiques de nos états cognitifs et émotionnels.

Ce qui se passe au cours de la contemplation méditative (dans une tradition comme le bouddhisme) et d'une introspection ordinaire sont deux choses tout à fait différentes. Dans le bouddhisme, on prend soigneusement garde que l'introspection ne soit pas entachée d'un subjectivisme excessif – comme les fantasmes et les illusions – et on cultive la discipline de l'esprit. Se préparer à une introspection rigoureuse par une attention très stable et précise est aussi essentiel que préparer son télescope pour observer des phénomènes célestes dans le détail. Tout comme cela se pratique en science, l'introspection contemplative doit user d'une série de protocoles et de procédures.

Dans un laboratoire, une personne non formée aux sciences ne saurait pas quoi regarder, ne verrait pas à quel moment une découverte a lieu ; de la même manière, un esprit non entraîné n'aura pas la capacité d'appliquer la concentration introspective sur un objet choisi et de reconnaître à quel moment apparaissent des processus de l'esprit. Tout comme un scientifique formé, un esprit discipliné saura quoi regarder et repérer les découvertes.

Savoir si la conscience se réduit à des processus physiques ou si nos expériences subjectives sont des caractéristiques non matérielles du monde pourrait bien n'être finalement qu'un choix philosophique. Il est essentiel de mettre entre parenthèses les questions métaphysiques sur l'esprit et la matière et d'explorer ensemble le moyen de comprendre scientifiquement les diverses modalités de l'esprit. Le bouddhisme et la science moderne peuvent, me semble-t-il, s'engager de concert dans une recherche sur la conscience, tout en laissant de côté la question philosophique. Rapprocher les deux modes d'investigation pourrait enrichir les deux disciplines. Une telle collaboration permettra non seulement de mieux comprendre la conscience mais aussi la dynamique de l'esprit et sa relation à la souffrance. Ce serait une précieuse voie d'accès au soulagement de la souffrance, tâche qui est, j'en suis convaincu, la principale que nous ayons à accomplir sur cette Terre.

7

Vers une science de la conscience

Pour qu'une étude de la conscience soit complète, il nous faut faire appel à une méthodologie qui puisse expliquer non seulement ce qui se passe aux niveaux neurologique et biochimique, mais aussi l'expérience subjective de la conscience elle-même. Même associées, les neurosciences et la psychologie behaviouriste n'éclairent pas suffisamment l'expérience subjective, car les deux démarches continuent à accorder la plus grande importance à la perspective objective de la tierce personne. Au cours de leur histoire, les traditions contemplatives ont insisté, elles, sur l'investigation subjective à la première personne, sur la nature et les fonctions de la conscience, l'esprit s'entraînant à se concentrer d'une manière disciplinée sur ses propres états intérieurs.

Dans ce type d'analyse, l'observateur, l'objet et les moyens de l'expérience sont les facettes d'une même chose, à savoir l'esprit de l'expérimentateur. Le bouddhisme nomme cet entraînement mental *bhavana*, habituellement traduit en français par « méditation ». Le terme original sanscrit *bhavana* comporte des connotations de culture, au sens de cultiver une habitude, tandis que le terme tibétain *gom* signifie littéralement « se familiariser avec ». L'idée est donc celle d'une discipline mentale consistant à cultiver la familiarité avec un objet donné, que ce soit un objet extérieur ou une expérience intérieure. Les gens comprennent souvent la *méditation* comme la simple action de vider l'esprit, ou comme une pratique de relaxation, mais ce n'est pas ce que j'entends ici. La pratique de *gom* n'implique pas un état mystérieux ou mystique ni une extase quelconque auxquels n'auraient accès que quelques individus doués. Pas plus que la non-pensée ou l'absence d'activité mentale. Le terme *gom* fait référence à la fois à un moyen, ou à un processus, et à un état qui survient comme résultat du processus. Ici, je m'intéresse à la notion de moyen, ce qui implique l'utilisation rigoureuse, concentrée et disciplinée de l'introspection et de l'attention pour explorer en profondeur la nature d'un objet. Du point de vue scientifique, on peut comparer ce processus à une observation empirique rigoureuse.

La différence entre la science actuelle et l'investigation bouddhique traditionnelle tient à l'utilisation de la méthode d'objectivation dite de « la tierce personne » pour la première et le raffinement de l'introspection à la première personne pour la deuxième. Selon moi, l'étude scientifique de la conscience avancerait réellement si les deux s'associaient. La méthode dite de la « tierce personne » donne de nombreux résultats. La technologie d'imagerie cérébrale (en perfectionnement permanent) permet d'observer de près ce à quoi notre riche expérience subjective est corrélée physiquement : connexions neuronales, changements biochimiques, zones associées à des activités mentales spécifiques et durées (souvent aussi courtes que la milliseconde) pendant lesquelles le cerveau réagit à des stimuli externes. J'ai eu le plaisir de voir tout cela directement au printemps 2001, à Madison, lors d'une visite au laboratoire de Richard Davidson, à l'université du Wisconsin.

C'est un laboratoire flambant neuf doté d'une technologie et d'instruments d'imagerie de pointe. Davidson y travaille avec un groupe de jeunes collègues passionnants, et il a comme projet en cours – qui m'intéresse tout particulièrement – une série d'expériences sur des méditants. Il m'a fait visiter le laboratoire et montré le fonctionnement de différentes machines. Il y a un EEG (électroencéphalographe), essentiellement utilisé pour détecter l'activité électrique du cerveau. Il s'agit d'une sorte de casque qui s'adapte sur la tête et sur lequel ont été fixés de nombreux capteurs ; celui de Davidson, avec ses deux cent cinquante-six capteurs, fait apparemment partie des plus sophistiqués au monde. Il y a aussi un IRM (imagerie à résonance magnétique) si sensible que la personne testée à l'intérieur doit demeurer absolument immobile pour une lecture précise. La force de l'EEG, m'a-t-on dit, est sa vitesse (chose étonnante, il détecte des changements dans le cerveau en moins d'une milliseconde), tandis que le pouvoir de l'IRM réside dans sa capacité à localiser à moins d'un millimètre près l'activité du cerveau.

Le jour précédant ma visite ils avaient mené avec ces machines une expérience détaillée sur un méditant expérimenté que je connais depuis longtemps. Et ce, pendant sa pratique de diverses techniques de méditation. Davidson me montra sur ordinateur de nombreuses images scanner de son cerveau, différentes couleurs indiquant différents types d'activité.

Le jour suivant, lors d'une rencontre officielle, Davidson présenta ses premiers résultats. Le psychologue Paul Ekman se joignit aux discussions et présenta un rapport préliminaire sur ses travaux en cours portant sur un grand nombre de sujets, dont des méditants. L'expérimentation scientifique sur ces derniers remonte à loin, notamment aux expériences menées à la faculté de médecine de Harvard par Herbert Benson dans les années 1980. Benson contrôla les changements physiologiques (température du corps, consommation d'oxygène) de méditants effectuant la pratique *tummo*, qui comporte, entre autres, la génération de chaleur à un point spécifique du corps. Comme Benson, le groupe de Richard Davidson a entrepris des expériences sur des ermites dans l'Himalaya, y compris dans les montagnes entourant Dharamsala. Il leur faut recourir à un équipement portable, et, de ce fait, ce travail a forcément des limites, du moins jusqu'à ce que les technologies nomades se perfectionnent.

L'expérimentation sur l'humain soulève de multiples questions éthiques, problème que la communauté scientifique prend très au sérieux. Pour les ermites qui ont choisi une vie de solitude dans les montagnes s'ajoute la complication due au fait que cette expérimentation constitue une profonde intrusion dans leur vie et leur pratique spirituelle. Il n'est pas surprenant qu'au début beaucoup d'entre eux aient hésité. En dehors de toute autre considération, la plupart d'entre eux ne voyaient tout simplement pas à quoi cela pouvait servir, sinon à satisfaire la curiosité de quelques personnes bizarres transportant des machines. Cependant, j'étais fortement convaincu (et le suis encore) qu'il est d'une extrême importance de recourir à la science pour comprendre la conscience de méditants, et je me suis efforcé de persuader les ermites d'autoriser les expériences. Je leur ai expliqué qu'ils devaient s'y prêter par altruisme ; s'il était possible de démontrer scientifiquement que la méditation a des effets positifs, apaise l'esprit et permet de cultiver des états mentaux salutaires, cela pouvait avoir des résultats bénéfiques pour d'autres. J'espère seulement ne pas avoir été trop directif. Un certain nombre d'ermites ont accepté, et je souhaite qu'ils l'aient fait parce qu'ils ont été convaincus par mon argumentation et pas simplement pour se plier à l'autorité du dalaï-lama.

Tout ce travail n'éclaire qu'une face de la conscience. Car elle en compte deux (toute la gamme de ses phénomènes et tout ce qui ressortit à l'expérience subjective). L'une correspond à ce qui se produit dans le cerveau ainsi qu'au comportement de l'individu (ce que la science du cerveau et la psychologie behaviouriste sont équipées pour explorer), l'autre consiste dans l'expérience phénoménologique des états cognitifs, émotionnels et psychiques euxmêmes. C'est cette composante qui oblige à recourir à une méthode d'investigation à la première personne. Ainsi, même si l'on montre que certaines réactions chimiques du cerveau, telle l'augmentation de sérotonine, coïncident avec l'expérience du bonheur, aucune description biochimique et neurobiologique de cette modification cérébrale n'expliquera en quoi consiste le bonheur.

La tradition contemplative bouddhique n'a pas disposé de moyens scientifiques pour comprendre les processus du cerveau, mais elle possède une connaissance très fine de la capacité de transformation et d'adaptation de l'esprit. J'ai appris que, jusqu'à récemment, les scientifiques pensaient qu'après l'adolescence le *hardware* du cerveau humain restait relativement immuable. Mais de nouvelles découvertes en neurobiologie ont dévoilé que le cerveau conservait une aptitude remarquable au changement, même chez des adultes de mon âge. Lors de la conférence Mind and Life de 2004 à Dharamsala, j'ai entendu parler de ce domaine en pleine expansion qu'est celui de l'étude de la « plasticité cérébrale ». Cela évoque pour moi la chose suivante : des traits qu'on imaginait fixes – comme la personnalité, la disposition et même les humeurs – ne le sont pas, et des exercices mentaux ou des changements dans l'environnement peuvent avoir de l'influence sur eux. Des expériences ont déjà montré que le lobe frontal gauche, la zone du cerveau associée aux émotions positives, comme le bonheur, la joie et la satisfaction, présentait une activité plus grande chez des méditants expérimentés. Ces découvertes impliquent que le bonheur est quelque chose que nous pouvons délibérément cultiver par entraînement mental.

Au VIIe siècle, le moine philosophe Dharmakirti argumentait déjà de façon sophistiquée pour dire que, grâce à un entraînement discipliné à la méditation, la conscience humaine, y compris les émotions, peut être considérablement modifiée. Sa prémisse clé y est la loi universelle de la cause et de l'effet, pour laquelle les conditions ayant une influence sur la cause ont un impact inévitable sur le résultat. Ce principe remonte à loin dans le bouddhisme – le Bouddha lui-même a énoncé que si l'on souhaitait éviter certains types de résultats on devait modifier les conditions qui les provoquent. Ainsi, si l'on modifie les conditions de son état d'esprit (qui crée normalement des schémas particuliers répétitifs de l'activité mentale), on peut changer les traits de sa conscience puis les attitudes et les émotions qui en résultent.

La seconde prémisse clé est la loi universelle de l'impermanence, que le Bouddha a évoquée très tôt, dans nombre de ses enseignements. Elle énonce que toutes choses et événements conditionnés sont dans un état de flux constant. Rien – pas même dans le monde matériel, que nous tendons à percevoir comme durable – ne demeure statique ni permanent. Selon cette loi, tout ce qui a une cause est donc susceptible de se modifier – et, si l'on crée les bonnes conditions, on peut consciemment orienter ce changement vers une transformation de l'état d'esprit.

À l'instar d'autres penseurs bouddhistes avant lui, Dharmakirti invoque ce que l'on pourrait appeler une « loi psychologique ». Il discerne divers états psychiques, dont les émotions, et les compare à un champ de forces au sein duquel des groupes opposés d'états mentaux interagissent constamment de façon dynamique. Dans le domaine des émotions, l'un de ces groupes comprendrait la haine, la colère, l'hostilité, etc., tandis qu'à l'opposé l'autre serait composé d'émotions positives comme l'amour, la compassion et l'empathie. Pour Dharmakirti, chez un individu donné à un moment donné, si la polarité penche plus fortement d'un côté, l'autre sera plus faible. En conséquence, si l'on travaille à accroître, à renforcer et à consolider les groupes positifs, alors, on affaiblit d'autant les groupes négatifs, les pensées et les émotions se transformant au passage.

Dharmakirti illustre la complexité de ce processus par une série d'analogies frappantes puisées dans l'expérience quotidienne. Les forces en opposition seraient comparables à la chaleur et au froid, qui ne coexistent jamais sans que l'un affaiblisse l'autre. En même temps, aucun n'élimine l'autre instantanément – le processus est graduel. Dharmakirti avait probablement à l'esprit ce qui se passe quand on allume du feu pour réchauffer une pièce froide ou bien quand les pluies de la mousson rafraîchissent les tropiques, où il vivait. En revanche, Dharmakirti dit que la lumière d'une lampe chasse immédiatement les ténèbres.

Cette loi, selon laquelle deux états opposés ne peuvent exister sans que l'un affaiblisse l'autre est la prémisse clé de l'argument bouddhique relatif à la capacité de transformation de la conscience. Cela signifie que la culture de l'amour bienveillant peut, au bout d'un certain temps, réduire la force de la haine dans l'esprit. De plus, selon Dharmakirti, en supprimant l'une des conditions de base, on en supprimera les effets. Ainsi, en éliminant le froid, on supprime effectivement tout ce qu'il entraîne, chair de poule, frissons et claquements de dents.

Dharmakirti va encore plus loin en suggérant que, contrairement au physique et à ses capacités, l'esprit et ses qualités ont un potentiel de développement illimité. Il oppose entraînement mental et physique et prend l'exemple du saut en longueur et des prouesses que peuvent accomplir les athlètes. Même si chaque athlète, pris individuellement, peut atteindre des niveaux très différents, sa nature et la constitution de son corps lui imposent une limite fondamentale, indépendamment de son degré d'entraînement. Même les substances illégales, absorbées par les athlètes modernes pour repousser les limites physiques, ne peuvent agir que de façon marginale et ne permettent pas au corps humain de dépasser les limites fondamentales de sa propre nature. En revanche, selon Dharmakirti, il y a bien moins de contraintes naturelles qui s'exercent sur la conscience et on peut les éliminer, de sorte qu'une qualité mentale comme la compassion peut, en principe, être développée sans limites. Pour Dharmakirti, la grandeur d'un maître spirituel comme le Bouddha ne réside d'ailleurs pas tant dans sa maîtrise des divers champs de la connaissance que dans le fait qu'il a atteint la perfection de la compassion illimitée envers tous les êtres.

Même avant Dharmakirti, la notion selon laquelle l'esprit est capable de passer d'un état négatif à un état de pureté tranquille et salutaire était largement répandue dans le bouddhisme indien. Dans une œuvre du Mahayana datant du IVe siècle, *Le Sublime Continuum*, attribué à Maitreya, et dans un ouvrage plus court attribué à Nagarjuna et intitulé *Louange à l'espace de la réalité absolue*, il est écrit que la nature essentielle de l'esprit est pure et que la méditation permet d'en éliminer les souillures, de le purifier. Ces traités eux-mêmes s'inspirent de la notion de la nature de Bouddha, le potentiel naturel de perfection qui réside chez tous les êtres sensibles (y compris les animaux). *Le Sublime Continuum* et *Louange* de Nagarjuna proposent deux thèses principales sur la capacité fondamentale à transformer l'esprit de façon positive. Première thèse : c'est possible, et il faut en être convaincu, de purifier tous les traits négatifs de l'esprit en appliquant les antidotes appropriés. Autrement dit, il ne faut pas voir les souillures qui polluent l'esprit comme appartenant à son essence. Par nature, l'essence de l'esprit est pure. D'un point de vue scientifique, il s'agit d'une hypothèse métaphysique. Seconde conviction : la constitution de l'esprit lui-même lui donne la capacité naturelle de se transformer de façon positive – ce qui suit la première thèse.

Les textes sur la nature de Bouddha utilisent des métaphores pour illustrer le thème de la pureté innée de l'esprit, par nature et par essence. *Louange à l'espace de la réalité absolue*, de Nagarjuna, s'ouvre sur une série d'images frappantes qui mettent en contraste cette pureté essentielle de l'esprit avec les souillures et les afflictions qui l'affectent. Nagarjuna compare cette pureté naturelle au beurre qui sera extrait du lait non encore baratté, à une lampe à huile dissimulée dans un vase, à un gisement de lapis lazuli enchâssé dans sa gangue rocheuse et à un grain recouvert de son enveloppe. Lorsque le lait est baratté, le beurre se révèle ; on peut percer des trous dans le vase pour libérer la lumière émise par la lampe ; lorsque la gemme est extraite, l'éclat du lapis lazuli jaillit ; lorsque l'enveloppe est ôtée, le grain peut germer. De la même manière, lorsqu'on éradique nos afflictions en cultivant de façon soutenue la vision pénétrante de la nature ultime de la réalité, la pureté innée de l'esprit – que Nagarjuna appelle l'« espace absolu » – se manifeste.

Louange à l'espace de la réalité absolue va plus loin et affirme que, tout comme une eau souterraine conserve sa pureté, même au milieu des afflictions, peut se trouver la sagesse perfectionnée d'un esprit éclairé. *Le Sublime Continuum* décrit l'obscurcissement de la pureté naturelle de notre esprit à l'aide d'analogies (le Bouddha assis sur un lotus souillé, du miel caché dans une ruche, un morceau d'or jeté au milieu de la saleté, un précieux trésor enterré sous la maison d'un mendiant, la plante potentiellement arrivée à maturité dans une jeune pousse et une image du Bouddha cachée dans des haillons.

Ces deux classiques bouddhiques indiens et les diverses œuvres du même genre sont écrits dans un langage hautement évocateur et poétique. Ils présentent pour moi un contraste rafraîchissant avec les écrits rigoureusement logiques et systématiques de la tradition philosophique bouddhique. Pour les bouddhistes, la théorie de la nature de Bouddha – la notion selon laquelle chacun de nous a, en lui-même, la capacité naturelle de se perfectionner – est un concept profondément et constamment inspirant.

Je ne suis pas en train de suggérer que la théorie de la nature de Bouddha devrait être validée par la méthode scientifique, mais je voudrais simplement indiquer comment la tradition bouddhique a tenté de conceptualiser la transformation de la conscience. Le bouddhisme a depuis longtemps une théorie sur ce que l'on appelle en neurosciences la « plasticité cérébrale ». Les termes bouddhiques pour ce concept sont radicalement différents de ceux des sciences cognitives, mais l'important est que, pour les deux, la conscience soit fortement susceptible de changer. Dans le concept de neuroplasticité, il y a l'idée que le cerveau est extrêmement malléable et change continûment avec l'expérience, de sorte que se forment de nouvelles connexions entre les neurones ou bien même que de nouveaux neurones sont générés. Les recherches ont porté en particulier sur des virtuoses – athlètes, joueurs d'échecs et musiciens – et il a été démontré que l'entraînement intense modifiait leur cerveau de façon observable. Chose intéressante, ces types de sujets sont comparables aux méditants confirmés, également des virtuoses qui, dans leur manière de se dédier à leur pratique, consacrent un temps et des efforts comparables.

Qu'il s'agisse de la transformation de la conscience ou de l'analyse empirique introspective, l'observateur doit, à force de répétition et d'entraînement, raffiner ses capacités en les exerçant d'une manière rigoureuse et disciplinée. Toutes ces pratiques supposent une certaine capacité à diriger son esprit vers un objet choisi et à y maintenir son attention pendant une certaine durée, si brève soit-elle. Selon une hypothèse, si l'on s'y exerce avec une certaine régularité, l'esprit apprend à améliorer la qualité de toute faculté désirée, que ce soit l'attention, le raisonnement ou l'imagination. Explication : avec une pratique prolongée et régulière, l'exercice deviendra quasiment une seconde nature. Ici, le parallèle avec les athlètes ou les musiciens est très clair, mais on pourrait également penser à l'apprentissage de la natation ou de la bicyclette. Au départ, on trouve ces activités très difficiles, elles ne sont apparemment pas naturelles, mais, une fois que l'on maîtrise la technique, elles deviennent très faciles.

L'un des entraînements mentaux de base consiste à cultiver la concentration, et plus spécifiquement l'observation de sa propre respiration. La concentration est essentielle si l'on veut prendre conscience d'une manière disciplinée de tout phénomène surgissant dans l'esprit ou dans son environnement immédiat. Dans notre état normal, notre esprit demeure, la plupart du temps, éparpillé et nos pensées se déplacent d'un objet à un autre de façon erratique. En cultivant la concentration, nous apprenons d'abord à devenir conscient de ce processus de dispersion. Puis nous amenons doucement l'esprit à se diriger vers les objets sur lesquels se concentrer. Traditionnellement, la respiration est considérée comme un instrument idéal pour la pratique de la concentration. Choisir sa respiration comme objet d'entraînement à la concentration présente un grand avantage : la respiration est une activité instinctive qui ne demande aucun effort, toute notre vie durant, si bien qu'il n'est pas nécessaire de fournir de grands efforts pour trouver l'objet de cette pratique. Dans sa forme évoluée, la concentration permet aussi de développer une extrême sensibilité à tout ce que se passe, à tout événement, si minime soit-il, dans l'environnement immédiat et dans l'esprit.

L'entraînement à la concentration repose en premier sur le développement de l'attention. Un pourcentage important d'enfants souffrent de troubles du déficit d'attention dans le monde actuel, en particulier dans les sociétés les plus opulentes. J'ai entendu dire que des efforts substantiels sont entrepris pour comprendre ce qu'est l'attention et comment l'obtenir. Le bouddhisme et sa longue expérience dans ce domaine pourraient apporter une contribution. Dans la psychologie bouddhique, l'*attention* est définie comme la faculté qui permet de diriger l'esprit vers un objet choisi parmi la variété d'informations sensorielles que nous percevons à tout moment. Nous ne nous préoccuperons pas ici des questions théoriques complexes permettant de dire exactement ce qu'est l'attention, un mécanisme unique ou de plusieurs types, ou bien similaire à une application contrôlée de la pensée. Prenons plutôt l'attention comme une intention délibérée qui nous permet de sélectionner un aspect spécifique ou la caractéristique d'un objet. L'application assidue, volontaire de l'attention est ce qui nous aide à maintenir une concentration soutenue sur l'objet choisi.

L'entraînement à l'attention est étroitement lié à l'apprentissage du contrôle de nos processus mentaux. Je suis sûr que les jeunes d'aujourd'hui, même les nombreuses personnes chez qui des troubles du déficit de l'attention ont été diagnostiqués, peuvent apprécier un film captivant sans distraction. Leur problème réside dans la difficulté à diriger volontairement leur attention lorsque plusieurs choses ont lieu en même temps. Un autre facteur est lié à l'habitude. Moins nous sommes familiarisés avec cet exercice, plus nous devons fournir d'efforts pour diriger notre attention vers tel objet ou telle tâche et pour l'y maintenir. Cependant l'entraînement habitue à devenir moins dépendant de cet effort délibéré. Nous savons par expérience personnelle que, grâce à l'entraînement, même des tâches qui semblent extrêmement difficiles au départ deviennent quasi automatiques. La psychologie bouddhique comprend que, grâce à une pratique assidue, disciplinée, l'attention soutenue, qui implique une grande dose d'effort au départ, nécessite encore un peu d'effort après qu'une maîtrise relative a été acquise. Enfin, la tâche devient aisée et spontanée.

Une autre pratique destinée à développer l'attention est la concentration sur un seul point. Ici, l'observateur peut choisir n'importe quelle sorte d'objet, extérieur ou intérieur, mais quelque chose dont il peut facilement faire apparaître l'image. L'entraînement consiste à placer son attention délibérément sur l'objet choisi et à essayer de maintenir cette attention le plus longtemps possible. Cette pratique implique tout d'abord l'utilisation de deux facultés, la concentration (qui maintient l'esprit lié à l'objet), et la vigilance introspective qui discerne toute distraction éventuelle et tout relâchement de la concentration dans l'esprit. Au cœur de cette pratique, l'esprit discipliné développe deux qualités – la stabilité de l'attention prolongée et la clarté ou la précision avec lesquelles l'esprit perçoit l'objet. De plus, le pratiquant doit apprendre à conserver l'équanimité, de façon à ne pas faire usage d'une introspection excessive vis-à-vis de l'objet, ce qui déformerait l'objet ou déstabiliserait le calme mental.

Lorsque le pratiquant remarque, par son introspection, qu'il a été distrait, il doit doucement ramener son esprit vers l'objet. Au départ, le laps de temps entre le moment où l'esprit a été distrait et la détection de cette distraction peut prendre un temps relativement long, mais, après un entraînement régulier, il deviendra de plus en plus court. Dans sa forme évoluée, cette pratique permet à un observateur de demeurer pendant de longues périodes sur l'objet choisi, en remarquant tout changement éventuel, que ce soit dans l'objet ou dans l'esprit. On dit que le pratiquant a acquis une qualité de souplesse mentale, son esprit est devenu facilement maniable et peut être dirigé librement vers n'importe quel objet. Cet état est décrit comme la réalisation du calme mental (*shamata* en sanscrit, *shi ne* en tibétain).

Dans les textes bouddhiques sur la méditation, il est dit qu'un pratiquant expérimenté peut maîtriser cette technique au point de maintenir son attention sans fléchir durant quatre heures d'affilée. J'ai connu un méditant tibétain réputé pour avoir atteint cet état. Malheureusement, il est décédé ; sinon, il aurait été extrêmement intéressant de l'examiner pendant qu'il était dans cet état à l'aide de tous les instruments sophistiqués du laboratoire de Richard Davidson. Des cas de ce type seraient des sujets d'étude fructueux pour le domaine émergent des études sur l'attention dans la psychologie occidentale ; des tests permettraient de comparer les résultats avec les connaissances scientifiques actuelles qui, à ma connaissance, ont établi que le laps de temps maximal de l'attention humaine ne dépasse pas quelques minutes.

Ces pratiques méditatives procurent un état d'esprit stable et discipliné, mais, si notre but est d'approfondir le sujet de notre investigation, il ne convient pas d'avoir simplement l'esprit concentré. Nous devons acquérir la technique consistant à examiner la nature et les caractéristiques de l'objet de notre observation avec autant de précision que possible. Cet entraînement de second niveau est connu dans la littérature bouddhique comme la vision pénétrante (*vipashyana* en sanscrit, *thak thong* en tibétain). Dans le calme mental, l'accent est mis sur le maintien de l'attention sans distraction, et la concentration sur un point unique est la qualité clé recherchée. Dans la vision pénétrante, l'accent est mis sur le discernement de l'investigation et l'analyse tout en maintenant une concentration sans distraction.

Dans son œuvre classique, *Les Étapes intermédiaires de la méditation*, le maître bouddhiste indien du VIIIᵉ siècle, Kamalashila, fait un exposé détaillé de la manière dont on peut cultiver le calme mental et la vision pénétrante de façon systématique. Tous deux sont associés de façon à approfondir notre compréhension des caractéristiques spécifiques de la réalité, jusqu'au point où cette compréhension influe sur nos pensées, nos émotions et notre comportement. Il insiste particulièrement sur la nécessité de maintenir un équilibre subtil entre l'esprit fixé sur un seul point d'un côté et l'application d'un faisceau concentré d'analyse de l'autre. La raison en est l'existence de différents processus mentaux capables de s'affaiblir réciproquement. L'absorption focalisée sur un seul point, exercée sur un objet choisi, exige de fixer son esprit sur l'objet avec le minimum de mouvement et dans une sorte de fusion. La vision pénétrante, de son côté, exige une certaine activité de l'esprit, où celui-ci se déplace de façon dirigée d'un aspect de l'objet à un autre.

Lorsque nous cultivons la vision pénétrante, Kamalashila nous conseille de débuter l'investigation en procédant à un examen aussi précis que possible et d'essayer ensuite de maintenir l'esprit fixement, aussi longtemps que possible, sur la vision pénétrante qui en résulte. Lorsque le pratiquant sent que sa vision pénétrante commence à faiblir, il lui est conseillé de reprendre le processus analytique. Cette alternance peut alors conduire à un plus haut degré de capacité mentale, où l'analyse et l'absorption deviennent toutes deux relativement aisées.

Comme dans toute autre discipline, des outils aident l'expérimentateur à focaliser son exploration. Étant donné que l'expérience subjective peut être aisément déroutée par les fantasmes ou l'illusion, ont été élaborés des outils de méditation tels que l'analyse structurée, afin de focaliser l'exploration contemplative. On recommande souvent d'utiliser des thèmes d'analyse. Un méditant peut choisir parmi de nombreux thèmes sur lesquels se concentrer. L'un d'eux est la nature transitoire de notre propre existence. Si l'impermanence est choisie comme un bon objet de méditation dans le bouddhisme, c'est parce que, tout en étant capables de la comprendre intellectuellement, nous ne nous comportons pas en général comme si nous avions intériorisé cette connaissance. L'association de l'analyse et de la concentration sur ce thème ravive cette vision pénétrante, si bien que nous apprécions le caractère précieux de chaque instant de notre existence.

Pour commencer, dans un état de calme, nous devenons attentifs au corps et à la respiration, et nous cultivons la conscience des changements très subtils qui se produisent dans l'esprit et dans le corps pendant la pratique, et même entre l'inspiration et l'expiration. Ainsi, par l'expérience, nous prenons conscience que rien dans notre existence ne demeure statique ou inchangé. En affinant cette pratique, notre conscience du changement devient encore plus précise et dynamique. Par exemple, une démarche consiste à contempler la trame complexe des circonstances qui nous maintiennent en vie, ce qui approfondit notre compréhension de la fragilité de notre existence. Une autre approche consiste en un examen plus réaliste des processus corporels et du fonctionnement du corps, en particulier le vieillissement et la décrépitude. Si un méditant a une profonde connaissance de la biologie, il est alors concevable que l'expérience de sa pratique aura un contenu particulièrement riche.

Ces expériences de pensée ont été effectuées de façon répétée durant de nombreux siècles et les résultats ont été confirmés par des milliers de grands méditants. On teste les pratiques bouddhiques afin de connaître leur efficacité, puis des esprits fiables les confirment, avant qu'elles ne deviennent des outils de méditation utilisables.

Si notre but consiste à intégrer des perspectives à la première personne dans la méthode scientifique, de façon à développer un moyen d'étudier la conscience, il n'est heureusement pas indispensable de maintenir cette pratique de manière parfaite pendant quatre heures d'affilée. Ce qu'il faut, c'est un certain degré d'association des deux techniques – concentration sur un seul point et investigation. Pour cela, la clé réside dans un entraînement discipliné. Un physicien a besoin de se former à des disciplines telles que les mathématiques, de développer sa capacité à utiliser divers instruments, sa faculté critique de savoir si une expérience est correctement conçue et si les résultats confirment l'hypothèse, ainsi que l'expertise pour interpréter les résultats des expériences passées. Ces capacités ne peuvent être acquises et développées qu'au bout d'une longue période. Quelqu'un qui souhaite apprendre les techniques de la méthode à la première personne doit consacrer autant de temps et d'effort. Il est important de souligner, ici, que, comme pour l'entraînement d'un physicien, l'acquisition de capacités intellectuelles est une affaire de volition et d'effort de concentration ; il ne s'agit pas d'un don mystique spécial accordé à quelques-uns.

Il existe de nombreuses autres formes de méditation dans la tradition bouddhique. Ainsi, un grand ensemble de pratiques incluent l'utilisation et le développement de la visualisation et l'imagination, ainsi que diverses techniques pour manipuler les énergies vitales du corps. Cela permet d'induire progressivement des états de plus en plus profonds de l'esprit, dans lesquels ce dernier se libère de plus en plus de l'élaboration conceptuelle. Ces états et ces pratiques peuvent être un domaine intéressant de recherche et d'expérimentation scientifique, dans la mesure où ils peuvent donner l'idée de capacités et de potentiels inattendus de l'esprit humain.

Un domaine de recherche possible sur la méditation pourrait être ce que la tradition tibétaine décrit comme l'expérience de l'état de claire lumière. C'est un état de conscience considéré comme extrêmement subtil qui se manifeste brièvement chez tous les êtres humains au moment de la mort. Des états similaires très brefs peuvent survenir naturellement à d'autres moments, par exemple durant un éternuement, un évanouissement, un sommeil profond et une jouissance sexuelle. La principale caractéristique de cet état est une spontanéité totale, l'absence de conscience de soi ou de saisie du soi. Chez un pratiquant expérimenté, cet état peut être délibérément induit par des techniques de méditation, et, quand cela arrive naturellement au moment de la mort, un individu qui en fait l'expérience peut prolonger cet état tout en maintenant son attention pendant une longue période.

Mon propre professeur Ling Rinpoché est resté dans la claire lumière de la mort pendant treize jours ; bien que cliniquement mort et ayant cessé de respirer, il est resté en posture de méditation et son corps n'a montré aucun signe de décomposition. Un autre méditant réalisé est resté dans cet état durant dix-sept jours dans la chaleur tropicale du plein été en Inde orientale. Il serait extrêmement intéressant de savoir ce qui se passait au niveau physiologique au cours de cette période et si des signes auraient pu être détectés au niveau biochimique. Lorsque l'équipe de Richard Davidson est venue à Dharamsala, tous ses membres avaient envie d'effectuer quelques expériences sur ce phénomène, mais durant leur séjour – je ne sais si je devrais dire heureusement ou malheureusement – aucun méditant n'est décédé.

Cependant, ces types de pratique n'entrent pas à proprement parler dans le cadre d'une contribution à l'émergence d'une méthode scientifique fondée sur une démarche rigoureuse à la première personne. Lorsque nous nous entraînons à prendre la conscience elle-même comme objet d'investigation à la première personne, nous devons d'abord stabiliser l'esprit. L'expérience consistant à fixer son attention simplement sur le moment présent est une pratique très utile. Cette pratique est axée sur un entraînement soutenu destiné à cultiver la capacité de maintenir l'esprit fixé sans distraction sur l'expérience immédiate, subjective de la conscience. Voici comment on procède.

Avant de débuter une méditation assise à proprement parler, on développe l'intention délibérée de ne pas laisser l'esprit se distraire soit par les souvenirs d'une expérience passée ou par des espoirs, des anticipations et des peurs concernant des événements futurs. Pour ce faire, on s'engage silencieusement à ce que, durant la méditation, l'esprit ne soit pas séduit par des pensées relatives au passé ou au futur et qu'il demeure complètement concentré sur la conscience du présent. Cela est essentiel parce que, dans notre vie quotidienne, nous avons tendance à être liés soit à des souvenirs et à des vestiges du passé, soit à des espoirs et à des peurs concernant le futur. Nous avons tendance à vivre soit dans le passé, soit dans le futur et très rarement complètement dans le présent. Lorsqu'on aborde la séance de méditation à proprement parler, il peut être utile de faire face à un mur qui ne présente pas de couleurs ni de motifs contrastés pouvant distraire l'attention. Une couleur neutre – crème ou beige par exemple – peut convenir, car elle aide à créer un environnement sobre. Lorsqu'on a effectivement entamé la séance, il est essentiel de ne pas faire d'efforts. Il est préférable de simplement observer l'esprit naturellement installé dans son propre état.

Quand on s'assied, on remarque que toutes sortes de pensées surgissent dans l'esprit, comparables à la source bouillonnante d'un interminable bavardage intérieur ou au brouhaha d'une circulation incessante. Il faut laisser toutes les pensées qui surgissent le faire librement, qu'on les perçoive comme saines ou malsaines. Ne les renforcez pas, ne les réprimez pas, ne les soumettez pas à un jugement évaluatif. Toutes ces réactions créeront encore plus de prolifération de pensées, car elles alimenteront une réaction en chaîne. On doit simplement les observer. Quand on le fait, tout comme les bulles montent et se dissolvent dans l'eau, les processus de pensée discursive surgissent et se dissolvent dans l'esprit.

Graduellement, au milieu d'un bavardage intérieur, on commencera à entrevoir ce qui ressemble à une simple absence, un état d'esprit sans contenu spécifique ni déterminable. Au début, ces états peuvent n'être que des expériences passagères. Néanmoins, au fur et à mesure que l'on acquiert plus d'expérience dans cette pratique, on sera capable de prolonger les intervalles survenant au milieu de la prolifération normale de ses pensées. Obtenir cet état permet véritablement de comprendre par l'expérience ce que la définition bouddhique de la conscience décrit comme « lumineux et connaissant ». Ainsi, un méditant sera graduellement capable de « saisir » l'expérience fondamentale de la conscience et de la prendre comme objet d'investigation méditative.

La conscience est un objet très insaisissable et, dans ce sens, elle est tout à fait différente de ce que peut être la concentration sur un objet matériel, tels des processus biochimiques. Et, pourtant, sa nature insaisissable peut être comparée à celle de certains objets de la physique et de la biologie, comme les particules subatomiques ou les gènes. Maintenant que les méthodes et protocoles servant à leur investigation sont complètement mis en place, ces choses semblent familières et même relativement incontestables. Toutes ces études sont fondées sur l'observation, dans le sens où – indépendamment des opinions philosophiques que les scientifiques peuvent avoir au sujet de toute expérience –, en dernière analyse, c'est l'observation empirique fondée sur la preuve et la découverte des phénomènes qui doit déterminer ce qui est vrai. De même, quelles que soient nos opinions philosophiques sur la nature de la conscience, qu'elle soit au bout du compte matérielle ou non, grâce à une méthode rigoureuse à la première personne, nous pouvons apprendre à observer les phénomènes, y compris leurs caractéristiques et leur dynamique causale.

À partir de là, j'entrevois la possibilité d'élargir le champ de la science de la conscience et d'enrichir notre compréhension collective de l'esprit humain en termes scientifiques. Francisco Varela m'a dit une fois qu'un philosophe européen, Edmund Husserl, avait déjà suggéré une démarche similaire pour l'étude de la conscience. La méthode consiste à partir de l'expérience ressentie, sans examiner la dimension complémentaire des hypothèses métaphysiques, comme un acte de « mise entre parenthèses de la métaphysique » d'une enquête phénoménologique. Cela ne signifie pas que l'individu ne souscrive pas à une position philosophique mais plutôt qu'il laisse délibérément de côté les croyances personnelles pour les besoins de l'analyse. En effet, quelque chose de semblable à la mise entre parenthèses se passe déjà dans la science moderne.

Par exemple, le fait que la question conceptuelle et philosophique de l'essence de la vie demeure ouverte n'a pas empêché la biologie de faire d'immenses progrès dans une interprétation scientifique de la vie et de ses formes et constituants divers. De même, les remarquables exploits de la physique (en particulier en mécanique quantique) ont été réalisés sans réponse claire à la question « Qu'est-ce que la réalité ? » et alors que de nombreuses questions sur l'interprétation qu'on en donne demeurent non résolues.

Dans une certaine mesure, si la science veut sérieusement avoir accès à toute la gamme des méthodes nécessaires à une étude complète de la conscience, je pense que l'expérience de – je dirai même l'entraînement à – certaines de ces techniques de discipline mentale (ou d'autres techniques similaires) devra devenir partie intégrante de la formation du spécialiste des sciences cognitives. Je partage vraiment l'avis de Varela : si l'étude scientifique de la conscience doit arriver à maturité complète – dans l'hypothèse où la subjectivité est un élément essentiel de la conscience –, il lui faudra intégrer une méthodologie empirique entièrement développée et rigoureuse à la première personne. J'ai le sentiment que c'est dans ce domaine que les traditions contemplatives de longue date, comme le bouddhisme, peuvent apporter une contribution potentielle immense à la science et à ses méthodes. Il est possible, en outre, que la tradition philosophique de l'Occident lui-même possède des ressources capables d'aider la science moderne à élaborer ses propres méthodes d'intégration de points de vue à la première personne. Ainsi, nous pourrions élargir nos horizons pour mieux comprendre l'une des qualités essentielles qui caractérisent notre existence humaine, à savoir la conscience.

8

Le spectre de la conscience

C'est d'une manière différente que les sciences cognitives et le bouddhisme abordent le domaine émergent de la science de la conscience et de l'investigation de l'esprit. Les premières se fondent avant tout sur les structures neurobiologiques et les fonctions biochimiques du cerveau, tandis que le second opère à partir de ce que nous avons appelé un point de vue à la première personne. Mais de leur dialogue pourrait naître une nouvelle voie d'investigation de la conscience. Pour l'essentiel, la psychologie bouddhique associe la contemplation méditative (sorte d'enquête phénoménologique) avec l'observation empirique de la motivation (elle se manifeste à travers les émotions, les schémas de pensée et le comportement) et l'analyse philosophique.

Son but premier n'est pas de dresser un catalogue de ce qui compose l'esprit ou même de décrire comment l'esprit fonctionne, mais plutôt de vaincre la souffrance, en particulier les afflictions psychiques et émotionnelles, qu'il faut dissiper. Dans les sources classiques bouddhiques, trois disciplines distinctes se consacrent à l'étude de la conscience. L'Abhidharma examine surtout les processus à l'origine de centaines d'états mentaux et émotionnels, comment nous ressentons ces états de façon subjective et quel effet ils ont sur nos pensées et notre comportement. Il correspond à ce qu'on appelle la psychologie (incluant la thérapie cognitive) et la phénoménologie. La seconde discipline, l'épistémologie bouddhique, analyse la nature et les caractéristiques de la perception, de la connaissance et la relation entre le langage et la pensée afin de développer un cadre conceptuel permettant de comprendre les divers aspects de la conscience – pensées, émotions, etc. Enfin, le Vajrayana utilise la visualisation, les pensées, les émotions et diverses techniques physiques (comme les exercices de yoga) dans le cadre d'un intense effort méditatif destiné à renforcer les attitudes salutaires et à transmuer les afflictions. Son objet n'est pas de découvrir une entité indépendante et permanente appelée « esprit » mais plutôt de comprendre la nature de l'esprit ordinaire et faire que ce dernier se retrouve dans un état non perturbé et plus clair.

L'étude bouddhique de la conscience est fondée sur la compréhension des fonctions et des modalités de l'esprit et leur dynamique causale – et c'est précisément là que l'interprétation bouddhique et une démarche scientifique peuvent le plus facilement se croiser. En effet, une large part de l'investigation bouddhique repose, comme celle de la science, sur une base empirique.

J'ai commencé à entendre parler des divers aspects de l'esprit dans le cadre de mon initiation à ce qu'on appelle *lo rig*, ce qui signifie littéralement « conscience et intelligence ». Ce thème est enseigné aux moines novices – normalement à l'âge de neuf ou dix ans, après l'ordination de la période de noviciat à l'âge de huit ans. Mes tuteurs – essentiellement Ling Rinpoché à l'époque – m'ont d'abord fait mémoriser une définition de la nature des événements mentaux et les principales catégories d'états cognitifs et émotionnels. Je n'avais pas une idée claire de leur signification à ce moment-là, mais je savais que la définition classique bouddhique du mental, opposé au physique, était caractérisée par la subjectivité. La caractéristique des objets matériels est de posséder une dimension spatiale ; ils font visiblement obstacle à d'autres objets matériels. Alors que les phénomènes mentaux doivent être vus sous l'angle de leur durée et de l'expérience qu'ils représentent.

J'ai passé beaucoup de temps à étudier les différences entre l'expérience sensorielle et l'expérience mentale. Un signe distinctif de la première est sa contingence à un organe des sens spécifique – l'œil, l'oreille, etc. Il est clairement établi que chaque perception sensorielle est distincte des autres et possède un domaine exclusif, de sorte que l'œil n'accède pas au son, l'oreille ne goûte pas, etc. Comme l'ont noté les premiers penseurs bouddhistes, dont Vasubandhu et Dharmakirti, il y a de grandes différences entre les processus spatio-temporels impliqués dans l'appréhension des objets de diverses sphères sensorielles. Si l'on peut visuellement percevoir un objet de très loin, on n'entend un son que de plus près, quant à la perception d'une odeur particulière, elle a lieu dans un rayon encore plus petit. Les deux derniers sens exigent, eux, un contact direct entre les sens et leurs objets respectifs pour que les expériences gustative et

tactile aient lieu. En langage scientifique, ces différences seront expliquées, j'imagine, par la façon dont
les organes des sens sont stimulés par des entités
physiques (photons, ondes sonores) émises par les
objets.

L'expérience mentale se caractérise, elle, par l'absence d'implication d'un organe des sens. Cette
sixième faculté qui s'ajoute aux cinq sens, comme le
dit la théorie bouddhique de l'esprit, n'a rien de sibyl-
lin ni de mystérieux. Elle signifie que, si l'on regarde
une belle fleur, la perception immédiate de la fleur,
avec toute sa richesse, sa couleur et sa forme, tient de
l'expérience visuelle. Si l'on continue à la regarder,
la même perception visuelle se répète. Cependant, au
moment où la pensée surgit pendant que l'on regarde
la fleur – par exemple, en se concentrant sur tel
aspect ou telle qualité, comme la profondeur de sa
couleur ou la forme d'un de ses pétales –, on entre
dans le registre de la conscience mentale. Celle-ci
inclut la gamme entière de ce que nous appelons processus de pensée – incluant la mémoire, la reconnaissance, la discrimination, l'intention, la volonté, la
réflexion conceptuelle et abstraite et les rêves.

L'expérience sensorielle est immédiate et globale.
Nous sentons la rose, nous voyons sa couleur ; nous
ressentons la piqûre de l'épine sans qu'aucune pensée
entre dans l'expérience. La pensée, en revanche,
opère sélectivement, quelquefois même apparemment
arbitrairement, en s'orientant vers un aspect ou une
caractéristique spécifiques d'un phénomène donné.
Pendant que vous observez la rose, des pensées
incontrôlées peuvent envahir votre esprit : l'odeur est
vaguement acidulée et rafraîchissante, la couleur,

rose pâle, apaisante, l'épine, pointue, est à éviter. De plus, la cognition conceptuelle appréhende les objets au moyen du langage et des concepts. Lorsque nous voyons une fleur aux belles couleurs, comme les rhododendrons rouges qui couvrent les collines autour de Dharamsala au printemps, l'expérience est riche, mais indifférenciée ; tandis que lorsque surgissent des pensées relatives aux caractéristiques de la fleur, comme « elle embaume » ou « ses pétales sont grands », l'expérience est alors beaucoup plus étroite, plus ciblée.

Une excellente analogie, souvent présentée aux jeunes étudiants, est l'expérience de la tasse de thé. L'expérience sensorielle équivaut à tenir la tasse à mains nues. La pensée, elle, correspond à tenir la tasse les mains recouvertes d'un tissu. Il existe une totale différence qualitative entre ces deux expériences. Le tissu est une métaphore pour les concepts et le langage qui se placent entre l'observateur et l'objet lorsque la pensée opère.

Dans l'épistémologie bouddhique, on trouve une analyse philosophique approfondie du rôle du langage en relation avec la pensée. Nombre de ses points de vue se sont développés dans un contexte plus large de dialogue philosophique avec diverses écoles de pensée non bouddhiques. Deux des figures bouddhistes les plus influentes furent les logiciens Dignana et Dharmakirti aux Ve et VIIe siècles. Au cours de ma formation en logique et en épistémologie, j'ai dû mémoriser des passages essentiels du célèbre ouvrage de Dharmakirti, *Le Commentaire sur le Compendium de connaissance valide* (*Pramanavartika*), traité philosophique composé en vers et connu pour son style dense et littéraire. Je crois comprendre que la philosophie occidentale s'est penchée de façon approfondie sur la relation entre langage et pensée, et sur la question fondamentale de savoir si la pensée était entièrement contingente du langage. Les penseurs bouddhistes, tout en reconnaissant le lien étroit existant entre eux chez les êtres humains, acceptent en principe la possibilité d'une pensée non linguistique – par exemple, les animaux sont considérés comme ayant des pensées véhiculées par des concepts (même rudimentaires) mais non par le langage au sens où nous l'entendons.

J'ai été très intéressé de découvrir que la psychologie occidentale moderne n'avait pas développé la notion de faculté mentale non sensorielle. D'après ce que j'ai compris, pour beaucoup de gens, l'expression « sixième sens » implique une sorte de capacité psychique paranormale. Mais, pour les bouddhistes, cela renvoie au domaine mental, englobant les pensées, les émotions, les intentions et les conceptions. Dans la pensée occidentale, des notions telles que l'âme chez les théistes ou l'ego chez les psychanalystes comblent une partie du fossé, mais ce qui semble manquer est la reconnaissance d'une faculté spécifique qui appréhende les phénomènes mentaux. Ces phénomènes incluent un vaste éventail d'expériences cognitives, comme la mémoire et le souvenir, qui, du point de vue bouddhique, sont qualitativement différentes de l'expérience sensorielle.

Du fait que le modèle neurobiologique de perception et de cognition donne une explication de ces phénomènes en termes de processus chimiques et biologiques du cerveau, je vois pourquoi, d'un point de vue scientifique, il n'est pas nécessaire de faire des distinctions entre les processus sensoriels et conceptuels. Il apparaît que la zone du cerveau associée aux perceptions visuelles est également celle qui est la plus active dans la visualisation imaginative. En ce qui concerne le cerveau, il semble qu'il n'y ait aucune différence entre voir quelque chose avec les yeux physiques ou avec l'« œil de l'esprit ». D'un point de vue bouddhique, cela pose problème : cette explication neurobiologique ne tient pas compte, en effet, de la composante la plus importante de ces événements mentaux – l'expérience subjective.

Le modèle épistémologique classique bouddhique n'accorde pas de prééminence au cerveau dans l'activité cognitive, telle que la perception. Étant donné que la philosophie bouddhique met l'accent sur l'empirisme et dans la mesure où la science médicale indienne ancienne a possédé une connaissance détaillée de l'anatomie humaine, il est surprenant qu'elle n'ait pas conféré au cerveau un rôle de structure de base de l'organisation du corps (en particulier pour la perception et la cognition). Le bouddhisme Vajrayana, cependant, parle du conduit situé au niveau de la couronne crânienne comme siège principal de l'énergie qui régule l'expérience subjective.

Dans l'étude de la perception et de la cognition, j'imagine qu'il peut y avoir une collaboration fructueuse entre le bouddhisme et les neurosciences modernes. Le bouddhisme a beaucoup à apprendre sur les mécanismes du cerveau liés aux événements mentaux – processus neurologiques et chimiques, formation des connexions synaptiques, corrélation entre des états cognitifs spécifiques et des zones spécifiques du cerceau. De surcroît, un domaine qui se développe actuellement offre un très grand intérêt, celui de la connaissance médicale et biopharmaceutique portant sur le fonctionnement du cerveau. Et, en particulier, lorsque des zones en ont été endommagées, ou sur la manière dont certaines substances induisent des états particuliers.

Lors d'une conférence Mind and Life, Francisco Varela me montra un jour une série d'images IRM, des coupes horizontales d'un cerveau avec des zones colorées différemment, pour indiquer l'activité neuronale et chimique relative associée à diverses expériences sensorielles. Ces images étaient le résultat d'expériences où l'on avait exposé un sujet à différents stimuli sensoriels (tels que de la musique ou des objets visuels). Elles correspondaient à ses différentes réactions (yeux ouverts ou fermés, par exemple). Constater de visu l'étroite corrélation entre les changements mesurables, visibles dans le cerveau, et l'occurrence de perceptions sensorielles spécifiques était très convaincant. Ce niveau de précision technique et les capacités des nouveaux instruments montrent le potentiel merveilleux que recèle le travail scientifique. Lorsqu'une investigation rigoureuse de la tierce personne sera associée à une investigation rigoureuse à la première personne, nous disposerons, espérons-le, d'une méthode exhaustive d'étude de la conscience.

Selon l'épistémologie bouddhique, il existe une limite inhérente à la capacité de l'esprit humain de vérifier ce qu'il produit lui-même. Cette limite est temporelle dans la mesure où un esprit ordinaire, qui n'est pas entraîné à l'application délibérée de l'attention méditative, ne peut constater qu'un événement a eu lieu que s'il a duré un certain temps – typiquement, celui d'un claquement de doigts ou d'un clignement d'yeux. Des événements plus brefs sont perçus mais pas totalement enregistrés car on n'en a aucun souvenir conscient. Une autre caractéristique de la perception humaine est notre besoin de nous attacher uniquement à la nature composite des choses et des événements. Par exemple, si je regarde un vase, je vois une forme bulbeuse comportant une base plate et un décor. Je ne vois pas les atomes et les molécules individuels ou l'espace entre eux qui constituent ensemble le phénomène composite que j'observe. Aussi, quand une perception se produit, ne s'agit-il pas d'un simple reflet dans l'esprit de ce qui se trouve à l'extérieur mais plutôt d'un processus complexe d'organisation destiné à saisir la signification d'une quantité infinie d'informations.

Ce processus de construction créative opère également au niveau temporel. En percevant un événement pendant un claquement de doigts, qui se compose, en fait, d'une myriade de séquences temporelles infimes, nous assemblons tous ces « instants » en un continuum. Dharmakirti donne une bonne analogie de ce phénomène enseignée aux étudiants dans les collèges monastiques tibétains : lorsque, la nuit, vous agitez une torche enflammée en un mouvement circulaire, un observateur voit une roue de feu. Si vous regardez de près la « roue », vous voyez qu'elle est constituée d'une série d'instants illuminés. En repensant à mon enfance et à ma fascination pour la mécanique des projecteurs de films, je me rends compte que l'image en mouvement d'un film sur l'écran est en fait constituée d'une série de plans fixes. Pourtant, nous percevons le film comme un mouvement fluide.

Les philosophes indiens et tibétains se sont très souvent interrogés sur la façon dont les perceptions surgissent et, en particulier, l'essence de la relation entre une perception et son objet. Après un long débat au sein de la pensée épistémologique bouddhique sur la manière dont la perception d'un objet donné survient, trois principaux points de vue ont émergé. Selon une première école de pensée, tout comme il y a une multiplicité de couleurs dans un objet de plusieurs couleurs, une multiplicité de perceptions visuelles a lieu quand on le regarde. Selon une deuxième école, la perception devrait plutôt être comparée à un œuf dur que l'on fend. Les deux morceaux sont identiques ; de la même façon, lorsque les sens entrent en contact avec leurs objets respectifs, une perception unique se sépare en une moitié objective et une moitié subjective. Pour le troisième point de vue, traditionnellement celui que privilégient les penseurs tibétains, l'expérience perceptuelle réelle n'est qu'un seul et même événement, indépendamment de la multiplicité des facettes de l'objet perçu.

Dans l'épistémologie bouddhique, une discussion importante concerne l'analyse des perceptions vraies et fausses. Pour le bouddhisme, c'est la connaissance, ou la vue correcte, qui libère des états d'illusion. Aussi lui accorde-t-on beaucoup d'attention. La distinction entre compréhension vraie et fausse est donc une préoccupation majeure. L'analyse de toutes les sortes d'expériences de perception et de causes d'erreurs très variées occupe une vaste place. Installé sur un bateau qui descend le fleuve, si l'on voit bouger les arbres sur la rive, l'illusion d'optique vient d'une condition extérieure, le mouvement du bateau. Atteint de jaunisse, on peut même prendre un objet blanc pour une coquille de conque jaune ; ici, la condition de l'illusion est intérieure. Si, au crépuscule, on voit une corde enroulée dans une zone connue pour ses serpents venimeux, il est possible qu'on la prenne pour un serpent ; dans ce cas, la condition de l'illu sion est à la fois intérieure (c'est-à-dire due à notre propre peur des serpents) et extérieure (c'est-à-dire due à la configuration de la corde et à la faible visibilité).

Tous ces cas sont ceux où l'illusion est conditionnée par des circonstances très immédiates. Mais il existe toute une catégorie de conditions plus complexes, sources de cognitions fausses, telles que la croyance en un soi autonome ou la croyance en la permanence d'un soi ou en d'autres phénomènes conditionnés. Durant une expérience, il n'y a pas moyen d'établir une distinction entre la perception exacte et la perception erronée. C'est seulement avec le recul que nous pourrons le faire. Ce sont en effet les expériences ultérieures, dérivées, qui aideront à déterminer si elles sont valides ou non. Il serait intéressant de savoir si les neurosciences seront capables de faire la différence entre perceptions exactes et inexactes au niveau de l'activité du cerveau.

À plusieurs occasions, j'ai posé cette question aux neuroscientifiques. À ma connaissance, aucune expérience n'a été réalisée jusqu'à présent. Au niveau phénoménologique, nous pouvons discerner le processus suivant lequel notre esprit passe par des transitions entre plusieurs états différents, et dans certains

cas diamétralement opposés. Par exemple, deman-
dons-nous si Neil Armstrong a posé le pied sur Mars
ou sur la Lune en 1969. Quelqu'un pourrait croire
fermement au début que c'était sur Mars. Puis, après
avoir entendu parler de la dernière sonde martienne,
sa conviction commencerait à être ébranlée. Après
avoir clairement compris qu'aucune mission d'astro-
nautes vers Mars n'a encore eu lieu, elle conclurait,
de façon correcte, que Neil Armstrong a atterri sur la
Lune. Enfin, après avoir dialogué avec d'autres personnes et lu des comptes rendus sur la mission
Apollo, la personne aboutirait à la réponse correcte à
la question originelle. Dans un cas de ce genre, nous
voyons que l'esprit va d'un état d'erreur totale à celui
de conviction correcte, en passant par un état d'hésitation, pour finalement se diriger vers la vraie
connaissance.

En général, la tradition épistémologique tibétaine
énumère une typologie septuple des états mentaux :
la perception directe, la cognition par inférence, la
cognition subséquente, la supposition correcte, la
perception inattentive, le doute et la cognition fausse.
Les jeunes moines doivent apprendre la définition de
chacun de ces sept états mentaux et leurs interrelations complexes ; l'avantage d'étudier et de reconnaître ces états est qu'on peut devenir plus sensible à
l'éventail et à la complexité de sa propre expérience
subjective. Être familiarisé avec ces états facilite
l'étude de la conscience.

Beaucoup plus tard dans mon éducation vint l'étude
de la psychologie bouddhique telle qu'elle a été sys-
tématisée par les grands penseurs indiens Asanga et
Vasubandhu. Aujourd'hui, nombre de leurs œuvres

ont été perdues en sanscrit, mais, grâce aux grands efforts accomplis par des générations de traducteurs tibétains et par leurs collaborateurs indiens, ils survivent en tibétain. Selon certains de mes amis indiens experts en sanscrit, les traductions tibétaines de ces classiques indiens sont si précises que l'on peut imaginer à quoi ressemblaient les textes originaux sanscrits. Le *Compendium de la connaissance supérieure* d'Asanga et, plus récent, *Le Trésor de la connaissance supérieure* (ce dernier existe toujours en sanscrit, mais, pour le premier, ne restent que quelques fragments de la version originale) sont devenus très tôt les premiers livres écrits sur la psychologie bouddhique au Tibet. Ils sont reconnus comme les textes sources de ce que la tradition tibétaine appelle l'école de l'« Abhidharma supérieur » d'Asanga et l'école de l'« Abhidharma inférieur » de Vasubandhu. C'est principalement sur ces textes que se fonde ma connaissance de la nature, de la classification et des fonctions des processus mentaux.

Il n'existe ni en sanscrit ni en tibétain de mot correspondant au concept d'« émotion » des langues et cultures modernes. Cela ne signifie pas que l'idée d'émotion n'existe pas, pas plus que cela implique que les Indiens et les Tibétains ne font pas l'expérience des émotions. Tout comme les Occidentaux, les Indiens et les Tibétains ressentent de la joie à l'annonce de bonnes nouvelles, de la tristesse face à une perte personnelle et de la peur face au danger. Les raisons probables de l'absence de ce mot sont liées à l'histoire de la pensée philosophique et de l'analyse psychologique en Inde et au Tibet. La psychologie bouddhique n'a pas fait de différence entre états cognitifs et états émotionnels, à la façon dont la pensée occidentale a différencié les passions de la raison. Dans une perspective bouddhique, il est plus important de faire la différence entre états mentaux perturbateurs et salutaires qu'entre cognition et émotions. L'intelligence qui permet le discernement, étroitement associée à la raison, peut être perturbatrice (par exemple, dans la préméditation d'un acte de meurtre), tandis qu'un état d'esprit passionné, telle une compassion débordante, est un état salutaire hautement vertueux. La joie et le chagrin sont des émotions perturbatrices ou salutaires, destructrices ou bénéfiques, selon le contexte.

La psychologie bouddhique distingue clairement entre la conscience et les diverses façons qu'elle a de se manifester. Le terme technique est « facteurs mentaux ». Par exemple, lorsque je vois un ami de loin, il s'agit d'un processus extrêmement complexe alors qu'on croit à un événement unique. Cinq facteurs universels en font partie, comme dans tous les événements mentaux – la sensation (dans ce cas, agréable), la perception, l'intention, l'application et le contact avec l'objet. Dans cet exemple, il peut y avoir des facteurs complémentaires comme l'attachement ou l'excitation, selon l'état d'esprit de l'observateur à cet instant-là et l'objet particulier qui apparaît. Il faudrait voir les facteurs mentaux non comme des entités séparées mais plutôt comme des aspects ou processus différents du même épisode mental ayant des fonctions diverses. Les émotions appartiennent à la catégorie des facteurs mentaux, par opposition à la catégorie de la conscience elle-même.

Bien qu'il y ait de nombreux systèmes d'énumération, la liste classique d'Asanga est privilégiée par les Tibétains, avec ses cinquante et un facteurs mentaux clés. En plus des cinq universaux (sensation, perception, intention, application et contact), il y a cinq facteurs à l'œuvre quand l'esprit s'empare d'un objet (aspiration, attraction, attention, concentration et discernement). Il y a en outre onze facteurs mentaux salutaires, présents dans un esprit positif. Ce sont la foi ou confiance, le sentiment de honte, la conscience (définie comme une considération envers autrui), le non-attachement, l'absence de haine (incluant l'amour bienveillant), l'absence d'illusion (incluant la sagesse), la vigueur, la souplesse, la diligence, l'équanimité et la non-violence (incluant la compassion). Dans cette liste, nous trouvons plusieurs facteurs qui correspondent à des émotions positives – notamment l'amour bienveillant et la compassion. La honte et la conscience sont intéressantes en ce que la première concerne la capacité à se sentir souillé par ses propres actions ou pensées malsaines, tandis que la conscience (dans ce contexte) renvoie à la qualité permettant de se retenir d'accomplir des actes ou d'avoir des pensées malsaines par considération envers autrui. Ces deux facteurs possèdent donc un élément émotionnel.

La liste des processus mentaux perturbateurs est plus complète, essentiellement parce que ce sont eux que la personne aspirant à l'éveil doit éliminer. Il y a six afflictions mentales de base : l'attachement ou le désir insatiable, l'aversion (qui inclut la haine), l'orgueil ou la vanité, l'ignorance, le doute négatif et les opinions perturbatrices. Parmi ceux-ci, les trois premiers possèdent une forte composante émotionnelle.

203

Viennent ensuite les vingt perturbations dérivées : la colère, le ressentiment, l'hostilité, l'envie ou jalousie et la cruauté ou violence (dérivées de la colère) ; l'avarice, la vantardise, l'excitation incluant la surprise, la dissimulation de ses propres vices et l'inertie (dérivées de l'attachement) ; l'absence de foi, la paresse, l'indolence et l'inattention (dérivées de l'ignorance) ; la complaisance, l'hypocrisie, l'absence de honte, l'absence de respect d'autrui, l'oubli et la distraction (dérivés de l'association de l'ignorance et de l'attachement). Il est clair que de nombreux facteurs mentaux énumérés ici peuvent être identifiés à des émotions. Enfin figure dans la liste des cinquante et un facteurs un groupe de quatre facteurs mentaux qualifiés de « changeables », le sommeil, le regret, l'investigation et l'analyse minutieuse. On les appelle ainsi parce que, selon l'état d'esprit, ils peuvent être salutaires, malsains ou neutres.

Il est extrêmement important d'être sensible à la différence des contextes dans lesquels les psychologies bouddhique et occidentale proposent un remède aux émotions. La distinction par le bouddhisme entre émotions salutaires et malsaines ne doit pas être confondue avec celle que la psychologie occidentale établit entre émotions positives et négatives. Dans la pensée occidentale, les termes *positif* et *négatif* sont définis par rapport à ce que nous ressentons lorsque des émotions particulières surviennent. Par exemple, la peur est négative parce qu'elle trouble désagréablement l'esprit.

Le bouddhisme établit une distinction entre facteurs mentaux malsains (ou perturbateurs) et salutaires en considérant la relation qu'ils entretiennent avec les actes qu'ils provoquent – en d'autres termes, notre bien-être éthique. Par exemple, l'attachement peut procurer un sentiment agréable. Il est cependant considéré comme perturbateur du fait qu'il peut impliquer un attachement aveugle, à caractère égocentrique, conduisant quelqu'un à commettre un acte nuisible. La peur est neutre et effectivement « changeable » dans le sens où, selon les circonstances, elle stimule un comportement salutaire ou malsain. Le rôle hautement complexe de ces émotions comme facteurs motivants de l'action humaine a reçu une attention très large dans les traités bouddhiques. Le terme original tibétain pour affliction, *nyönmong*, et son équivalent sanscrit, *klesha*, connotent quelque chose qui perturbe de l'intérieur. Ces états mentaux ont pour caractéristique de provoquer le trouble et la perte du contrôle de soi. Lorsqu'ils surgissent, nous avons tendance à perdre notre liberté d'agir selon nos aspirations et à tomber prisonniers d'une disposition d'esprit altérée. Enracinées qu'elles sont dans un mode profondément égocentrique de relation aux autres et au monde en général, ces afflictions, lorsqu'elles surviennent, ont tendance à rétrécir nos perspectives.

On trouve dans les œuvres indiennes et tibétaines sur la psychologie bouddhique une analyse approfondie de la nature, des permutations, subdivisions, interrelations et de la dynamique causale des facteurs mentaux. La liste dressée par Asanga, que nous utilisons ici, ne doit pas être considérée comme exhaustive – par exemple, la peur et l'anxiété n'y apparaissent pas, tandis qu'elles figurent dans d'autres contextes et d'autres listes. Les systèmes d'énumération peuvent être différents, mais l'organisation en liste des facteurs mentaux reflète l'objectif sous-jacent d'identifier et d'éradiquer les émotions néga-tives et de cultiver les états d'esprit positifs.

Je me suis longtemps demandé comment nous pour-rions relier le cadre psychologique bouddhique des processus mentaux salutaires et malsains à la compré-hension des émotions développée par la science occi-dentale. La dixième conférence Mind and Life, en mars 2000, m'a donné l'opportunité de réfléchir plus profondément à cette question. La conférence portait en effet sur les émotions destructrices, et un certain nombre d'experts de l'émotion appartenant à la communauté scientifique occidentale étaient venus participer à une discussion durant une semaine à Dharamsala. Les débats étaient modérés par Daniel Goleman, que je connais depuis longtemps. C'est Dan qui, le premier, m'a présenté les multiples études scientifiques faisant apparaître une relation étroite entre l'état d'esprit général d'un individu et sa santé physique. C'est lors de cette conférence que je fis connaissance de l'anthropologue et psychologue Paul Ekman, qui a passé plusieurs décennies à étudier les émotions. J'ai immédiatement senti des affinités entre nous ainsi que la motivation éthique sincère qui sous-tendait son travail, dans le sens où, en comprenant mieux la nature de nos émotions et leur universalité, il nous est possible de développer un sens de la fra-ternité plus grand. En outre, Paul parle exactement à un rythme idéal pour que je suive sa communication en anglais sans difficulté.

J'ai beaucoup appris grâce à lui au sujet de la der-nière interprétation scientifique de l'émotion. D'après ce que j'ai compris, la science cognitive moderne distingue entre deux catégories principales d'émotions – les émotions de base et ce que certains appellent les « émotions cognitives supérieures ». Par « émotions de base », les scientifiques entendent celles qui sont considérées comme universelles et innées. Comme dans les listes bouddhiques, l'énumération précise diffère selon le chercheur, mais Ekman en indique jusqu'à dix, dont la colère, la tristesse, la peur, le dégoût, le mépris, la surprise, le plaisir, l'embarras, la culpabilité et la honte. Tout comme pour les facteurs mentaux bouddhiques, chacune de ces émotions est considérée comme représentant une famille de sentiments. Par « émotions cognitives supérieures », les scientifiques entendent une série d'émotions également universelles mais dont l'expression est sujette à des variations considérables en fonction de la culture. Selon les observations des expérimentateurs, tandis que les émotions de base semblent largement venir des structures subcorticales du cerveau, les émotions cognitives supérieures sont plutôt associées au néocortex – la zone du cerveau à s'être le plus développée au cours de l'évolution humaine, et très active dans l'activité cognitive complexe comme le raisonnement. Tout cela, d'après ce que je comprends, représente les résultats vraiment préliminaires d'une discipline en cours d'évolution rapide qui pourrait bien subir un changement de paradigme radical avant d'arriver à un consensus.

Selon le bouddhisme, les afflictions mentales sont universelles et présentes chez tous les êtres sensibles. Les principales sont liées à l'attachement, à la colère et à l'illusion. Chez certaines espèces, comme les êtres humains, leur expression est plus complexe que chez les animaux, où elles se manifestent de façon plus rudimentaire et explicitement agressive. Plus ils sont simples, plus ces processus sont considérés comme instinctifs et moins dépendants du raisonnement conscient. En revanche, quand les émotions sont complexes, leur expression est sujette au conditionnement, estime-t-on, y compris à travers le langage et les concepts. Aussi, le fait que les émotions de base (selon la classification de la science moderne) puissent être associées à des parties du cerveau très anciennes en termes d'évolution et qui existent aussi chez les animaux offre un parallèle possible avec l'interprétation du bouddhisme.

L'expérience montre que la différence entre les émotions perturbatrices, comme la haine, et les états salutaires, comme la compassion, réside dans le fait que les afflictions tendent à fixer l'esprit sur une cible concrète – une personne à laquelle nous nous attachons, une odeur ou un son que nous voulons repousser. Les émotions salutaires, en revanche, sont plus diffuses, de sorte que le centre d'intérêt ne se limite pas à une personne ou à un objet. Selon la psychologie bouddhique, les états mentaux salutaires possèdent donc une composante cognitive supérieure à celle des afflictions négatives. Là encore, il pourrait être intéressant de comparer bouddhisme et science occidentale.

La science moderne des émotions étant fondée sur la neurobiologie, la perspective évolutionniste demeurera son cadre conceptuel prédominant. Cela signifie qu'en plus des explorations de la base neurologique des émotions individuelles on tentera de comprendre l'émergence d'émotions spécifiques en fonction de leur rôle dans la sélection naturelle. J'ai entendu dire qu'il existait en fait une discipline entière appelée « psychologie évolutionniste ». Dans une certaine mesure, je peux imaginer comment on explique l'émergence d'émotions de base telles que l'attachement, la colère et la peur dans une perspective évolutionniste. Cependant, à l'instar du projet neurobiologique qui tente de lier des émotions particulières à des zones spécifiques du cerveau, je ne vois pas comment la démarche évolutionniste peut parvenir à rendre compte de la richesse du monde émotionnel et de la qualité subjective de l'expérience.

Un autre point très intéressant qui a émergé de ma discussion avec Paul Ekman est la distinction entre émotions d'un côté, humeurs et traits de caractère de l'autre. Les premières sont vues comme instantanées, les deuxièmes peuvent durer plus longtemps (pendant une journée entière) et les troisièmes encore plus longtemps (parfois toute une vie). La joie et la tristesse, par exemple, seraient des émotions qui surviendraient souvent suite à un stimulus particulier ; tandis que le bonheur et le malheur seraient des humeurs, dont les causes directes ne seraient pas si aisées à identifier. De la même façon, la peur est une émotion, l'anxiété est l'humeur correspondante. Si quelqu'un a une forte propension à être anxieux, ce serait un trait de caractère. Bien que la psychologie bouddhique ne fasse pas de distinction formelle entre les humeurs et les émotions, elle reconnaît la différence entre les états mentaux, instantanés et durables, et la propension à tel ou tel état, qui les sous-tend.

L'idée que des émotions particulières naissent d'une certaine tendance naturelle, qu'elles provoquent certains types de comportements, et en particulier l'hypothèse selon laquelle les émotions positives sont plus conformes à certains processus de pensée sont essentielles à la pratique contemplative bouddhique. Cultiver la compassion et l'amour bienveillant, vaincre les émotions destructrices comme la colère et la haine, toutes ces pratiques plongent leurs racines dans les idées de la psychologie et en dépendent. Il est essentiel d'analyser minutieusement la façon dont surgissent des processus mentaux intérieurs spécifiques – conditions extérieures ; états mentaux intérieurs précédents et concomitants ; relation avec d'autres événements cognitifs et émotionnels. À de nombreuses occasions, j'ai eu des discussions avec des psychologues et des psychanalystes exerçant leur activité dans un vaste éventail de disciplines thérapeutiques, et j'ai noté chez eux un intérêt similaire pour la découverte de la cause des émotions. Dans la mesure où la psychologie appliquée se préoccupe de soulager la souffrance, je pense qu'elle partage un objectif fondamental avec le bouddhisme.

Le but premier de la pratique contemplative bouddhique est de vaincre la souffrance. La science, comme nous l'avons vu, a beaucoup contribué à sa réduction, en particulier dans le domaine physique. C'est une merveilleuse quête dont j'espère que nous continuerons à bénéficier. Mais, au fur et à mesure que la science progresse, l'enjeu est plus important. Le pouvoir qu'a la science d'influer sur l'environnement, je dirai même, de changer le cours de l'espèce humaine dans son ensemble, s'est accru. Résultat, pour la première fois dans l'histoire, notre survie même exige que nous commencions à prendre en compte la responsabilité éthique. Cela ne concerne pas seulement les applications de la science mais l'orientation donnée à la recherche et au développement ainsi qu'à la technologie. C'est une chose d'utiliser l'étude de la neurobiologie, de la psychologie et même de la théorie bouddhique de l'esprit pour devenir plus heureux, pour changer nos esprits en cultivant des états d'esprit positifs. Mais quand nous commençons à manipuler les codes génétiques, aussi bien les nôtres que ceux de notre monde naturel, quelle est la limite à ne pas dépasser ? C'est une question qui doit être prise en compte par les scientifiques aussi bien que par le grand public.

9

L'éthique et la nouvelle génétique

Une profonde inquiétude du public se cristallise autour du développement de la nouvelle génétique, et nous sommes nombreux à en être conscients. Cette préoccupation est due à tous ses aspects, du clonage à la manipulation génétique. Des protestations se sont élevées à l'échelle mondiale au sujet du génie génétique appliqué aux aliments. Il est maintenant possible de créer de nouvelles variétés de plantes donnant des rendements très supérieurs, moins sensibles à la maladie afin d'optimiser la production alimentaire dans le monde où les besoins alimentaires d'une population croissante doivent être satisfaits. Les avantages sont évidents et merveilleux. Des pastèques sans pépins, des pommes avec une durée de conservation plus longue, du blé et d'autres grains immunisés contre les organismes nuisibles pendant leur croissance en champ – tout cela n'est plus de la science-fiction. J'ai lu que les scientifiques sont même en train d'expérimenter la création de produits agricoles tels que des tomates auxquelles on injecte les gènes de différentes espèces d'araignées.

Mais, par ces interventions, nous modifions la constitution génétique naturelle, et savons-nous réellement quel en sera l'impact à long terme sur les espèces de plantes, sur le sol, sur l'environnement ? Les avantages commerciaux sont évidents, mais comment décidons-nous de ce qui est réellement utile ? Le réseau complexe d'interdépendance caractéristique de l'environnement fait qu'apparemment nous n'avons pas la capacité de faire des prédictions.

Les changements génétiques se sont produits lentement sur des centaines de milliers d'années d'évolution naturelle. L'évolution du cerveau humain s'est déroulée sur des millions d'années. En manipulant activement les gènes, nous sommes sur le point d'accélérer artificiellement le rythme du changement chez les animaux et les plantes ainsi que dans notre propre espèce. Cela ne signifie pas que nous devrions tourner le dos au progrès dans ce domaine – je voudrais simplement faire remarquer que nous devrions prendre conscience des implications terrifiantes de cette nouvelle ère de la science.

Les questions les plus urgentes sont liées à l'éthique plus qu'à la science en soi. Elles concernent la mise en œuvre correcte de notre savoir et de notre pouvoir quand de nouvelles possibilités s'ouvrent avec le clonage, le décryptage du code génétique et d'autres avancées scientifiques dans ce domaine. Ces questions sont en rapport avec les possibilités de manipulation génétique non seulement sur les êtres humains et les animaux mais aussi sur les plantes et l'environnement, dont nous faisons tous partie. La question, au fond, est la relation entre notre savoir et notre pouvoir d'un côté et notre responsabilité de l'autre.

Toute nouvelle découverte scientifique capitale qui offre des perspectives commerciales draine un intérêt et des investissements énormes de la part du secteur public et des entreprises privées. La somme de savoir scientifique et l'étendue des possibilités technologiques sont tellement immenses que les seules limites à notre action viennent sans doute d'une imagination insuffisante. C'est cette acquisition sans précédent de savoir et de pouvoir qui nous place actuellement dans une position critique. Plus le niveau de savoir et de pouvoir est élevé, plus grand doit être notre sens de la responsabilité morale.

Si nous examinons ce qui sous-tend philosophiquement une grande partie de l'éthique humaine, c'est essentiellement une reconnaissance claire du principe selon lequel à un plus grand degré de savoir et de pouvoir correspond une plus grande nécessité de responsabilité morale. Jusque récemment, nous pouvions dire que ce principe avait très bien fonctionné. La capacité humaine de raisonnement moral avait avancé au même rythme que les progrès du savoir humain et ses capacités. Mais, avec l'entrée dans la nouvelle ère de la science biogénétique, le fossé entre le raisonnement moral et nos capacités technologiques a atteint un point critique. La rapide augmentation du savoir humain et les possibilités technologiques qu'a fait naître la nouvelle science génétique sont telles qu'il est maintenant presque impossible à la réflexion éthique de suivre l'allure de ces changements. Une grande partie des nouvelles possibilités à venir se présentent moins sous la forme de découvertes ou paradigmes scientifiques nouveaux qu'en termes de développement de nouvelles options tech-

215

nologiques. Sans oublier les calculs financiers du monde des affaires et ceux, politiques et économiques, des gouvernements. La question n'est plus de savoir si nous devrions ou non acquérir du savoir et en explorer le potentiel technologique. Elle porte plutôt sur le mode d'utilisation de ce nouveau savoir et de ce nouveau pouvoir pour qu'il soit le mieux approprié et le plus responsable éthiquement.

C'est la médecine qui ressent l'impact de la révolution génétique de la façon la plus immédiate. Aujourd'hui, d'après ce que je comprends, nombreux sont ceux qui pensent que le séquençage du génome humain marquera le début d'une ère nouvelle. Il sera alors possible de passer du modèle thérapeutique biochimique à un modèle thérapeutique génétique. Déjà, les définitions mêmes de nombreuses pathologies changent du fait que l'on découvre que les maladies sont génétiquement programmées chez les êtres humains et les animaux dès leur conception. Bien qu'il soit encore trop tôt pour qu'on ait connu la réussite d'une thérapie génique, il semble que ces thérapies ne soient plus du domaine de l'impossible. Même aujourd'hui, cette question de la thérapie génique et celle, concomitante, de la manipulation des gènes, en particulier au niveau de l'embryon humain, nous posent de grands défis en matière de pensée éthique.

Ce que nous devons faire de notre nouveau savoir est, à mon sens, un des aspects les plus profonds du problème. Avant de savoir que des gènes spécifiques étaient responsables de la démence sénile, du cancer, ou même du vieillissement, nous supposions, en tant qu'individus, que nous ne serions pas touchés par ces problèmes, mais, lorsque nous l'étions, nous réagissions. Mais, maintenant (ou du moins très bientôt), la génétique pourra dire à des individus et à des familles qu'ils possèdent des gènes susceptibles de les tuer ou de les handicaper dès leur enfance, pendant leur adolescence ou leur âge mûr. Cette connaissance modifie radicalement nos définitions de la santé et de la maladie. Par exemple, un individu en bonne santé, mais qui a une prédisposition génétique particulière, pourrait se trouver étiqueté « bientôt malade ». Que devrions-nous faire d'une telle connaissance, et comment la gérer avec un esprit de grande compassion ? Qui devrait avoir accès à cette connaissance, étant donné ses implications sociales et personnelles en termes d'assurance, d'emploi et de relations, ainsi que de reproduction ? L'individu porteur de ce gène a-t-il la responsabilité de révéler ce fait à son éventuel partenaire de vie ? Ce ne sont que quelques-unes des questions soulevées par cette recherche génétique.

Pour rendre encore plus complexe cet ensemble de problèmes, je crois comprendre qu'on ne peut garantir l'exactitude de ces prévisions génétiques. Il est quelquefois certain qu'une maladie génétique particulière observée dans l'embryon entraînera une maladie chez l'enfant ou l'adulte, mais il s'agit souvent d'une question de probabilités relatives. Le mode de vie, le régime diététique et d'autres facteurs environnementaux entrent en jeu. Ainsi, même si nous savons qu'un embryon particulier porte le gène d'une maladie, nous ne pouvons être certain que la maladie surviendra.

Les choix de vie et l'identité même peuvent être affectés de manière considérable par la perception du risque génétique. Or ces perceptions peuvent ne pas être correctes et ne pas se concrétiser. Devrions-nous avoir accès à cette connaissance de type probabiliste ? Dans le cas où le membre d'une famille découvre une maladie génétique de ce type, tous ceux qui ont peut-être hérité du même gène devraient-ils en être informés ? L'information devrait-elle être communiquée à une communauté plus large – par exemple, à des compagnies d'assurance santé ? Les porteurs de certains gènes peuvent être radiés de l'assurance et donc privés de l'accès aux soins, tout cela en raison du déclenchement éventuel d'une maladie particulière. Les questions, ici, ne sont pas simplement d'ordre médical mais aussi d'ordre éthique et peuvent affecter le bien-être psychique des personnes concernées. Lorsque les maladies génétiques seront détectées dans l'embryon (comme ce sera de plus en plus le cas), faudra-t-il que les parents (ou la société) prennent la décision de mettre un terme à la vie de cet embryon ? Cette question est encore compliquée par le fait que l'on trouve de nouvelles méthodes pour aborder la maladie génétique ainsi que de nouveaux médicaments tout aussi rapidement que l'on identifie les gènes responsables d'une maladie spécifique. On peut imaginer un scénario dans lequel une femme avorte après que le fœtus a été diagnostiqué comme porteur d'une maladie susceptible de se manifester vingt ans après. Or, une décennie plus tard, on découvre le remède à cette maladie.

Nombreux sont ceux, à travers le monde, en particulier les spécialistes de cette discipline émergente qu'est la bioéthique, qui sont confrontés aux différentes facettes de ces problèmes. N'étant pas spécialisé dans ces domaines, je n'ai rien de concret à proposer sur une question précise – surtout en raison de l'évolution très rapide des faits empiriques. Ce que je souhaite, cependant, c'est examiner en détail certaines des questions clés auxquelles je pense que toute personne informée devrait réfléchir. Et j'aimerais suggérer quelques principes généraux utiles pour aborder ces défis éthiques. Je suis convaincu qu'au fond le défi auquel nous sommes confrontés se pose vraiment en termes de choix, face aux options multiples que nous proposent la science et la technologie.

Les nouvelles frontières de la médecine génétique s'accompagnent d'une série de nouveaux aspects qui soulèvent, là encore, des questions éthiques profondes et troublantes. Je parle ici essentiellement du clonage. Cela fait plusieurs années que l'on a présenté au monde un être sensible complètement cloné, la célèbre brebis Dolly. Depuis lors, le clonage humain a fait l'objet d'une énorme couverture médiatique. Nous savons qu'on a créé les premiers embryons humains clonés. En dehors des remous médiatiques qu'elle suscite, la question du clonage est extrêmement complexe. Il existe deux sortes de clonage tout à fait différentes – thérapeutique et reproductif. Dans le cadre du clonage thérapeutique, on utilise la technologie du clonage pour la reproduction de cellules et la création de semi-êtres sensibles dans le seul but de prélever des parties en vue d'une transplantation. Le clonage reproductif est fondamentalement la création d'une copie identique.

En principe, je n'ai pas d'objection au clonage en tant que tel – un instrument technologique à des fins médicales et thérapeutiques. Comme dans tous ces cas, ce qui prime est le motif : que nos décisions soient motivées par la compassion. Cependant, à l'idée qu'on reproduise délibérément des semi-êtres humains pour disposer de pièces de rechange, je ressens une révulsion immédiate et instinctive. Dans un documentaire de la BBC, j'ai vu la simulation informatique de ce type de créatures, aux traits humains distinctement reconnaissables. J'en ai été saisi d'horreur. Pour certains, il s'agit peut-être d'une réaction émotionnelle irrationnelle qui ne doit pas être prise au sérieux. Mais je pense que nous devons faire confiance à notre révulsion instinctive, qui prend sa source dans notre humanité fondamentale. Si nous autorisons l'exploitation de ces hybrides semi-humains, qu'est-ce qui nous empêchera de faire de même avec nos semblables qui, au gré des caprices de la société, seraient décrétés déficients sur un plan quelconque ? L'empressement de l'humanité à franchir ces frontières naturelles la conduit souvent à commettre les pires atrocités.

Bien que le clonage reproductif ne provoque pas le même type d'horreur, ses implications peuvent, à certains égards, avoir une portée plus considérable. Lorsque la technologie permettra de le réaliser, des parents, voulant désespérément des enfants et incapables d'en avoir, pourraient chercher à le faire par clonage. Quel serait à l'avenir l'impact de cette pratique sur le capital génétique ? Sur la diversité essentielle à l'évolution ?

Des individus, mus par le désir de vivre au-delà des possibilités biologiques, pourraient choisir de se faire cloner, pensant ainsi proroger leur vie à travers le nouvel être cloné. Dans ce cas, il me paraît difficile de trouver une justification quelconque – du point de vue bouddhique, c'est sans doute un corps identique, mais il y aura deux consciences distinctes. Elles mourront quoi qu'il en soit.

En intervenant sur le processus reproductif, les nouvelles technologies génétiques ont un effet social et culturel dans le domaine de la perpétuation de notre espèce. Est-il juste de choisir le sexe de son enfant, ce qui, je crois, est possible actuellement ? Si ce n'est pas le cas, est-il juste de faire ce genre de choix pour des raisons de santé (disons, dans des couples où l'enfant court de sérieux risques de dystrophie musculaire ou d'hémophilie) ? Est-il acceptable d'insérer des gènes dans le sperme humain ou dans des œufs en laboratoire ? Jusqu'où peut-on aller sur la voie de la constitution de bébés « idéaux » ou « sur mesure » – par exemple, des embryons sélectionnés en laboratoire pour fournir des molécules ou composants particuliers absents chez des membres de la fratrie déficients génétiquement afin que les enfants nés de ces embryons deviennent donneurs de moelle osseuse ou de rein pour guérir des membres de la fratrie ? Jusqu'où peut-on aller dans la sélection artificielle de fœtus porteurs de caractéristiques considérées comme souhaitables, qui amélioreraient l'intelligence ou la force physique, ou bien donneraient une couleur d'yeux spécifique, par exemple ?

On éprouve une profonde sympathie lorsqu'il s'agit de technologies utilisées à des fins médicales – comme pour le traitement d'une déficience génétique particulière. Toutefois, la sélection de traits particuliers, surtout réalisée à des fins essentiellement esthétiques, ne l'est pas forcément dans l'intérêt de l'enfant. Même quand des parents sélectionnent des caractéristiques dont ils pensent qu'elles auront une influence positive, il nous faut examiner si cette démarche est effectuée dans une intention positive ou en fonction des préjugés d'une société particulière à un moment donné. Nous devons songer à l'impact à long terme de ce genre de manipulation sur l'espèce dans son ensemble, étant donné que ses effets seront transmis aux générations suivantes. Nous devons aussi réfléchir aux effets produits par cette limitation de la diversité de l'humanité ainsi que de la tolérance associée, laquelle est l'un des aspects merveilleux de la vie.

Un volet particulièrement préoccupant est la manipulation des gènes pour créer des enfants « améliorés », que ce soit des caractéristiques cognitives ou physiques. Quelles que soient les inégalités de condition de vie entre individus – en termes de richesse, classe sociale, santé, etc. –, nous sommes tous nés avec une nature humaine égale à la base et dotés de certaines potentialités, de certaines capacités cognitives, émotionnelles et physiques. Nous avons une inclination fondamentale à rechercher le bonheur et à vaincre la souffrance – ce qui est effectivement un droit. Étant donné que la technologie génétique restera sûrement onéreuse, du moins dans un avenir prévisible, une fois autorisée, elle sera pendant longtemps à la portée exclusive d'une petite portion de la société humaine, autrement dit, les riches. Ainsi, la société se retrouvera dans une situation où elle traduira une inégalité de condition (c'est-à-dire, fondée sur la richesse relative) en une inégalité de nature due à l'amélioration de l'intelligence, de la force et d'autres facultés obtenues de naissance.

Cette différenciation aura des répercussions d'une grande portée – aux niveaux social, politique et éthique. Au niveau social, elle renforcera – perpétuera, même – nos disparités et rendra encore plus difficile un retour en arrière. Dans le domaine politique, elle donnera naissance à une élite dirigeante dont les prétentions au pouvoir s'appuieront sur des arguments de supériorité naturelle intrinsèque. Au niveau éthique, ces différences prétendument fondées sur la nature amoindriront gravement notre sensibilité morale fondamentale dans la mesure où celle-ci repose sur la reconnaissance mutuelle d'une humanité commune. Il nous est impossible d'imaginer comment ces pratiques affecteraient le concept même d'humanité.

Lorsque je pense aux diverses formes nouvelles de manipulation génétique humaine, je ne peux m'empêcher de sentir que nous manquons profondément d'appréciation sur ce que signifie chérir l'humanité. Dans mon Tibet natal, la valeur d'une personne repose non pas sur son apparence physique, non pas sur ses prouesses intellectuelles ou athlétiques, mais sur sa capacité fondamentale, innée, de compassion pour tous les êtres humains. La science médicale moderne elle-même a démontré combien l'affection est cruciale pour les êtres humains, en particulier au cours des premières semaines de la vie. Le simple pouvoir du toucher est essentiel pour le développement de base du cerveau. Au regard de sa valeur en tant qu'être humain, qu'un individu ait un handicap quelconque (par exemple, le syndrome de Down) ou une disposition génétique à développer une maladie particulière (telles l'anémie falciforme, la chorée de Huntington ou la maladie d'Alzheimer) ne compte absolument pas. Tous les êtres humains ont une valeur égale et un potentiel égal de bonté. Fonder notre appréciation de la valeur d'un être humain sur sa constitution génétique appauvrira forcément l'humanité, car il y a tellement plus dans les êtres humains que leurs génomes.

Pour moi, un des effets les plus frappants et les plus réconfortants de notre connaissance du génome est la vérité stupéfiante qu'elle a révélée, à savoir que les différences entre les génomes des différents groupes ethniques dans le monde sont si négligeables qu'elles en deviennent insignifiantes. J'ai toujours affirmé que les différences de couleur, de langue, de religion, d'ethnie, etc., chez les êtres humains n'ont aucune substance au regard de notre similitude fondamentale. Pour moi, le séquençage du génome humain en a fait une démonstration extrêmement puissante. Il a également permis de renforcer mon sentiment de notre parenté fondamentale avec les animaux, dont le génome est, à un pourcentage très élevé, identique au nôtre. Si nous, humains, utilisons avec talent notre connaissance génétique nouvellement acquise, on peut concevoir que cela favorisera une plus grande affinité et un sentiment d'unité non seulement avec nos semblables mais avec la vie dans son ensemble. Une telle perspective pourrait également étayer une conscience environnementale beaucoup plus saine.

Dans le cas des aliments, il faudra savoir s'il est vrai que les modifications génétiques sont indispensables pour nourrir une population mondiale croissante. Si tel est le cas, je pense alors que nous ne pourrons pas rejeter cette branche de la technologie génétique. Cependant, comme le suggèrent ses détracteurs, s'il ne s'agit que d'un argument de façade pour dissimuler des motifs essentiellement commerciaux – comme produire de la nourriture qui se conserve plus longtemps et peut être plus facilement exportée d'une partie du monde à une autre, qui possède une apparence plus attirante et convient mieux à la consommation, ou bien créer des grains et céréales génétiquement modifiés dans le but de rendre leurs graines stériles à la récolte, obligeant les exploitants agricoles à dépendre entièrement des sociétés de biotechnologie pour les semences –, alors, il est clair qu'il faut mettre sérieusement en question ces pratiques.

Beaucoup de gens sont de plus en plus préoccupés par les conséquences à long terme de la production et de la consommation de produits génétiquement modifiés. Le fossé entre la communauté scientifique et le grand public est peut-être dû en partie au manque de transparence des sociétés qui élaborent ces produits. Il devrait incomber à l'industrie des biotechnologies de faire la démonstration de l'absence de conséquences négatives pour les consommateurs de ces nouveaux produits. Elle devrait également faire preuve d'une transparence complète sur toutes les implications possibles que ces plantes peuvent avoir pour l'environnement naturel. En clair, on ne peut accepter l'argument selon lequel, sans preuve décisive de la nocivité de tel ou tel produit, ce dernier demeure alors tout à fait valable.

Le fait est que les aliments génétiquement modifiés ne sont pas juste un autre type de produit, comme une voiture ou un ordinateur portable. Que nous le voulions ou non, nous ne connaissons pas les conséquences à long terme de l'introduction d'organismes génétiquement modifiés dans un environnement plus vaste. En médecine, par exemple, la thalidomide, ce médicament excellent pour le traitement des nausées matinales des femmes enceintes, a eu des conséquences imprévues et catastrophiques à long terme pour la santé du fœtus.

Étant donné le rythme incroyable du développement de la génétique moderne, il est maintenant urgent que notre raisonnement moral s'affine de façon que nous soyons prêts à aborder les défis éthiques nouveaux. Nous ne pouvons pas attendre qu'une série de réactions émerge de manière organique. Nous devons affronter la réalité de notre avenir potentiel et traiter les problèmes frontalement.

Je pense que les temps sont mûrs pour prendre position sur l'aspect éthique de la révolution génétique en transcendant les points de vue doctrinaux des religions individuelles. Nous devons nous montrer à la hauteur du défi éthique en tant que membres d'une seule famille humaine, et non pas en tant que bouddhiste, juif, chrétien, hindouiste ou musulman. Pour relever ces défis éthiques, il ne suffit pas non plus de se référer aux idéaux politiques purement séculaires, libéraux, tels que la liberté, le choix et l'honnêteté individuels. Il nous faut examiner les questions dans la perspective d'une éthique globale fondée sur la reconnaissance des valeurs humaines fondamentales qui transcendent religion et science.

Il ne convient pas d'adopter la position selon laquelle notre responsabilité en tant que société se résume à faire avancer le savoir scientifique et à développer notre puissance technologique. Il ne suffit pas non plus d'avancer comme argument que cette connaissance et ce pouvoir doivent être laissés au choix des individus. Si cela signifie que la société dans son ensemble ne devrait pas entraver le cours de la recherche et la création de nouvelles technologies fondées sur cette recherche, les considérations humanitaires ou éthiques concernant la réglementation du développement scientifique n'auraient plus qu'un rôle insignifiant. Il est essentiel – il s'agit vraiment d'une grande responsabilité – que nous fassions preuve d'une réflexion autocritique bien plus élaborée sur ce que nous développons et pourquoi nous le faisons. Le principe de base est que plus tôt on intervient dans un processus causal, plus efficace est la prévention des conséquences indésirables.

Afin de réagir aux défis présents et futurs, nous devons fournir un effort collectif plus soutenu. Une solution partielle est de veiller à ce qu'une plus grande partie du public ait connaissance de la pensée scientifique et comprenne les découvertes scientifiques clés, en particulier celles qui ont des implications sociales et éthiques directes. L'éducation doit proposer non seulement une formation en matière de faits scientifiques empiriques mais aussi un examen de la relation entre la science et la société en général. Elle doit inclure les questions éthiques soulevées par les nouvelles possibilités technologiques. Cet impératif éducatif doit s'adresser aux scientifiques aussi bien qu'aux profanes, de façon que les scientifiques aient une compréhension plus large des répercussions sociales, culturelles et éthiques de leur travail.

Étant donné l'importance de l'enjeu, les décisions concernant le cours de la recherche, l'utilisation de notre savoir et les possibilités technologiques à développer ne peuvent être laissées entre les seules mains des scientifiques, des commerciaux ou des fonctionnaires. En clair, c'est à la société de définir certaines limites. Il ne s'agit pas, cependant, que ces débats émanent uniquement de petits comités, même s'il s'agit de sages ou d'experts. Il faudrait un degré plus élevé d'implication du public, en particulier sous forme de débats, que ce soit par le biais des médias, de la consultation publique ou de l'action de groupes de pression locaux.

Les défis sont tellement immenses aujourd'hui – et l'usage indu de la technologie présente de tels dangers à l'échelle mondiale, risquant d'entraîner une catastrophe pour toute l'humanité – qu'il nous faut, je pense, une boussole morale utilisable collectivement et ce, sans nous enliser dans des différences de doctrines. Le facteur indispensable est l'adoption, par la société des hommes, d'une attitude holistique et intégrée qui reconnaisse l'interdépendance fondamentale de tous les êtres vivants et de leur environnement. Cette boussole morale doit avoir pour rôle de préserver notre sensibilité humaine. Elle sera efficace si nous ne perdons jamais de vue nos valeurs humaines fondamentales. Nous devons être prêts à nous révolter lorsque la science – ou, d'ailleurs, toute activité humaine quelle qu'elle soit – franchit la ligne de la dignité humaine. Nous devrons combattre pour conserver cette sensibilité, qui s'émousse si facilement.

Comment trouver cette boussole morale ? D'abord en ayant foi en la bonté fondamentale de la nature humaine, et en ancrant cette foi dans des principes éthiques fondamentaux et des universaux : reconnaissance de la qualité précieuse de la vie, compréhension de la nécessité d'un équilibre de la nature qui serve de jauge pour diriger notre pensée et notre action ; également – et par-dessus tout –, reconnaissance de la nécessité de veiller à faire de la compassion la motivation essentielle de toutes nos entreprises. Il faut également l'associer à la conscience claire d'une perspective plus large, englobant les conséquences à long terme. Beaucoup conviendront avec moi que ces valeurs éthiques transcendent la dichotomie entre croyants et non-croyants et qu'elles sont cruciales pour le bien-être de toute l'humanité. En raison de la réalité profondément interconnectée du monde actuel, nous avons besoin, pour faire face à ces défis, de réagir comme une seule famille humaine plutôt que comme membres de nationalités, d'ethnies ou de religions particulières. En d'autres termes, le principe à adopter est celui d'un esprit d'unité de l'espèce humaine. Certains objecteront que c'est irréaliste. Mais quelle autre option avons-nous ?

Je suis fermement convaincu que c'est possible. En dépit du fait que nous vivions depuis plus d'un demi-siècle à l'ère nucléaire, nous avons réussi à ne pas encore nous annihiler. Cela me donne un grand espoir. Ce n'est pas une coïncidence non plus si, en y réfléchissant profondément, nous constatons que les principes éthiques sont au cœur de toutes les traditions spirituelles.

En élaborant une stratégie éthique en matière de nouvelle génétique, il est vital d'inscrire notre réflexion dans le contexte le plus large possible. Nous devons avant tout nous rappeler à quel point ce domaine est nouveau, tout comme les possibilités qu'il offre. Nous devons considérer avec attention le fait que notre compréhension de ce que nous connaissons est très limitée. Nous avons maintenant séquencé l'intégralité du génome humain, mais cela prendra sans doute des décennies avant que nous comprenions complètement les fonctions de tous les gènes individuels et leurs interrelations, sans compter les effets de leur interaction avec l'environnement. Actuellement, nous axons trop notre attention sur la faisabilité d'une technique particulière, ses résultats et conséquences secondaires immédiats ou à court terme et ses effets sur la liberté individuelle. Ces préoccupations sont toutes valables mais ne sont pas suffisantes. Leur champ est trop étroit, étant donné que l'enjeu porte sur rien de moins que la conception de la nature humaine. En raison de la grande portée de ces innovations, nous devons examiner tous les domaines où la technologie génétique peut avoir des implications durables sur l'existence humaine. Le sort de l'espèce humaine, peut-être de toute la vie sur cette planète, est entre nos mains. Face à cette grande inconnue, ne serait-il pas mieux de pécher par excès de prudence plutôt que de transformer le cours de l'évolution humaine dans un sens irréversiblement dommageable ?

En un mot, notre réaction sur le plan éthique doit comporter plusieurs éléments importants : premièrement, nous devons nous assurer de notre motivation et veiller à ce qu'elle repose sur la compassion ; deuxièmement, nous devons aborder tout problème qui se pose à nous en prenant en compte la perspective la plus large possible (en particulier, prendre en considération les conséquences à court et à long terme) ; troisièmement, lorsque nous usons de notre raison pour aborder un problème, nous devons être vigilants et nous assurer que nous demeurons honnêtes, conscients de nous-mêmes et impartiaux − sinon, nous courons le danger d'être victimes d'aveuglement ; quatrièmement, face à un réel défi éthique, nous devons réagir avec un esprit d'humilité, en reconnaissant non seulement les limites de notre connaissance (collective et personnelle), mais aussi notre vulnérabilité, au risque d'être abusés par un contexte changeant très rapidement ; enfin, nous devons tous − scientifiques et société en général − nous efforcer de veiller, quelle que soit la nouvelle ligne de conduite adoptée, à garder à l'esprit l'objectif premier du bien-être de l'humanité dans son ensemble et la conservation de la planète que nous habitons.

La Terre est notre seule maison. Dans l'état actuel de la connaissance scientifique, c'est probablement la seule planète habitable. Une des visions les plus frappantes qu'il m'ait jamais été donné de contempler fut la première photographie de la Terre vue de l'espace. Devant l'image d'une planète bleue flottant dans l'espace profond, brillant comme une pleine lune par nuit claire, je me rendis profondément compte qu'en vérité nous sommes tous les membres d'une seule et même famille partageant une petite maison unique. Je fus submergé par le sentiment du dérisoire devant les querelles et les désaccords divers au sein de la famille humaine. Je vis combien il était futile de s'accrocher avec tant de ténacité aux différences qui nous divisent. Dans cette perspective, on ressent la fragilité, la vulnérabilité de notre planète et le peu de place qu'elle occupe sur une petite orbite coincée entre Vénus et Mars dans l'espace infini. Si nous ne prenons pas soin de cette maison, quelle autre mission avons-nous sur cette Terre ?

Conclusion

Science, spiritualité et humanité

Quand je contemple mes soixante-dix années d'existence, je vois que ma rencontre personnelle avec la science a commencé dans un monde presque entièrement préscientifique où la technologie tenait du miracle. Je suppose que ma fascination pour la science repose toujours sur un émerveillement naïf devant les merveilles qu'elle réalise. Depuis ces débuts, mon périple dans la science m'a conduit à des questions d'une grande complexité, telles que l'impact de la science sur notre compréhension du monde, son pouvoir de transformer les vies humaines et la Terre elle-même sur laquelle nous vivons ainsi que les dilemmes moraux terribles générés par ses nouvelles découvertes. Pourtant, on ne peut oublier – et on ne le doit pas – qu'elle offre des possibilités prodigieuses et splendides.

Les visions scientifiques ont enrichi de nombreux aspects de ma propre vision bouddhique du monde. La théorie de la relativité d'Einstein, avec ses expériences de pensée saisissantes, a alimenté ma compréhension de la théorie de la relativité du temps de Nagarjuna avec de la matière vérifiée empiriquement.

L'image extraordinairement détaillée du comportement des particules subatomiques aux niveaux les plus infimes éclaire l'enseignement du Bouddha sur la nature impermanente de toute chose. La découverte de notre génome humain, que nous avons tous en partage, donne du relief à la vision bouddhique de l'égalité fondamentale entre tous les êtres humains.

Quelle est la place de la science dans l'ensemble de l'entreprise humaine ? Elle a tout examiné, de la plus petite amibe au système neurobiologique complexe des êtres humains, de la création de l'Univers et de l'émergence de la vie sur Terre à la nature même de la matière et de l'énergie. La science a exploré la réalité de façon spectaculaire. Elle a non seulement révolutionné notre connaissance mais ouvert de nouvelles voies au savoir. Elle a commencé à faire des incursions dans la question complexe de la conscience – la caractéristique essentielle qui fait de nous des êtres sensibles. La question est de savoir si la science peut proposer une interprétation complète du spectre entier de la réalité et de l'existence humaine.

Dans la perspective bouddhique, une interprétation humaine complète doit offrir une explication cohérente de la réalité, de nos moyens de l'appréhender et de la place de la conscience. Mais elle doit aussi inclure une réflexion claire sur la façon dont nous devons agir. Dans le paradigme actuel de la science est seule considérée comme valide la connaissance obtenue par le biais d'une méthode strictement empirique étayée par l'observation, la déduction et la vérification expérimentale. Cette méthode implique l'utilisation de la quantification et des mesures, de la possibilité de reproduire et de la confirmation par d'autres. De nombreux aspects de la réalité ainsi que certains éléments essentiels de l'existence humaine, comme la capacité de distinguer entre le bien et le mal, la spiritualité, la créativité artistique – certaines des caractéristiques auxquelles nous accordons le plus de valeur chez les êtres humains –, restent inévitablement en dehors du champ de la méthode. La connaissance scientifique, à son stade actuel, est incomplète. Reconnaître ce fait, et reconnaître clairement les limites de la connaissance humaine sont, selon moi, fondamentaux. C'est seulement par cette reconnaissance que nous apprécierons authentiquement la nécessité d'intégrer la science dans la totalité de la connaissance humaine. Sinon, notre conception du monde, y compris de notre propre existence, se limitera aux faits prouvés par la science et conduira à une vision du monde profondément réductionniste, matérialiste et même nihiliste.

Ce n'est pas vraiment le réductionnisme en tant que tel qui me pose problème. En fait, un certain nombre de nos avancées ont été obtenues en appliquant la démarche réductionniste, qui caractérise si bien l'expérimentation et l'analyse scientifiques. Le problème se pose lorsque le réductionnisme, qui est essentiellement une méthode, devient un point de vue métaphysique. Il est évident que cela reflète clairement une tendance courante à confondre les moyens et la fin, en particulier lorsqu'une méthode spécifique est très efficace. Un texte bouddhique nous rappelle, en une image forte, que lorsque quelqu'un pointe le doigt vers la lune nous devons regarder non pas le bout du doigt mais la lune.

Tout au long de ce livre, j'espère avoir défendu le point de vue selon lequel on peut prendre la science au sérieux et accepter la validité de ses résultats empiriques sans souscrire au matérialisme scientifique. J'ai plaidé pour la nécessité d'avoir une vision du monde fondée sur la science – ce qui est, à mon avis, possible –, mais sans nier la richesse de la nature humaine et la validité des modes de connaissance autres que le mode scientifique. Je le dis parce que je crois fermement qu'il existe une relation intime entre notre compréhension conceptuelle du monde, notre vision de l'existence humaine, son potentiel et les valeurs éthiques qui guident notre conduite. Notre manière de nous voir et de voir le monde autour de nous ne peut pas ne pas influer sur notre attitude et sur nos relations avec nos semblables et avec le monde. C'est par essence une question d'éthique.

Les scientifiques ont une responsabilité particulière, une responsabilité morale qui est de veiller à ce que la science serve les intérêts de l'humanité le mieux possible. Ce qu'ils font dans leurs disciplines spécifiques a le pouvoir d'influer sur notre vie à tous. Car, quelles qu'en soient les raisons historiques, les scientifiques jouissent aujourd'hui d'un plus haut niveau de confiance de la part du public que d'autres professionnels. Il est vrai, cependant, que cette confiance n'est plus une foi absolue. Trop de tragédies liées soit directement, soit indirectement à la science et à la technologie ont eu lieu pour que la confiance en la science demeure inconditionnelle. De mon vivant, il suffit de penser à Hiroshima, Tchernobyl, Three Mile Island ou Bhopal, pour ce qui est des catastrophes nucléaires ou chimiques, et à la dégradation de l'environnement – y compris la diminution de la couche d'ozone – entre autres crises écologiques.

Je lance un appel pour que nous exercions notre influence sur le cours de la science et l'orientation de la technologie à l'aide de notre spiritualité, de toute la richesse et du simple effet salutaire de nos valeurs humaines fondamentales. Par essence, la science et la spiritualité, bien que différentes dans leur démarche, partagent le même but, à savoir l'amélioration de l'humanité. Sous son meilleur jour, la science est motivée par une quête de compréhension menant à un épanouissement et à un bonheur plus grands. Dans le langage bouddhique, ce type de science peut être décrit comme une forme de sagesse ancrée dans la compassion et tempérée par elle. De même, la spiritualité est un voyage humain au cœur de nos ressources internes, avec pour but la compréhension de ce que nous sommes au sens le plus profond et la découverte de la façon de vivre selon l'idée la plus élevée possible. C'est aussi l'union de la sagesse et de la compassion.

Depuis l'émergence de la science moderne, l'humanité a vécu le face-à-face entre la spiritualité et la science, deux sources importantes de connaissance et de bien-être. La relation a été parfois très étroite – une sorte d'amitié – et parfois froide. Bien des gens les considéraient toutes deux comme incompatibles. Aujourd'hui, dans la première décennie du XXIe siècle, la science et la spiritualité ont plus que jamais le potentiel nécessaire pour se rapprocher et entreprendre une réelle collaboration. Celle-ci offre à l'humanité le grand espoir de relever les défis auxquels elle est confrontée. Nous sommes tous dans le même bateau. Je souhaite que chacun d'entre nous, en tant que membre de la famille humaine, réponde à l'obligation morale de rendre cette collaboration possible. C'est l'appel que je lance du fond du cœur.

Index

Table

Achevé d'imprimer sur les presses de

BUSSIÈRE

GROUPE CPI

à Saint-Amand-Montrond (Cher)
pour le compte des Éditions Robert Laffont
en octobre 2006

La photocomposition de cet ouvrage
a été réalisée par
GRAPHIC HAINAUT
59163 Condé-sur-l'Escaut

N° d'édition : 47372/01. — N° d'impression : 063638/4.
Dépôt légal : novembre 2006.

Imprimé en France